ニュートン超図解新書

最強に面白い 数学

数と数式編

はじめに

数学の中でも，「数」は最も基本的な分野かもしれません。小学校や中学校の授業でも，整数や分数，素数などの，さまざまな数が登場します。

素数とは，「2以上の整数のうち，1と自分自身でしか割り切ることができない数」のことです。素数の定義は，シンプルなものです。しかしその背後には，奥深い世界が広がっています。たとえば素数は，いくつあるでしょうか。数が大きくなるにつれて，素数はみつかりにくくなります。ところが素数の大きさに，上限はありません。なんと素数は，無限に存在するのです。しかもこのことは，2000年以上も前にわかっていたといいます。

本書は，素数から世界一美しい数式まで，数と数式をゼロから学べる1冊です。“最強に”面白い話題をたくさんそろえましたので，どなたでも楽しく読み進めることができます。数と数式の世界を，どうぞお楽しみください！

ニュートン超図解新書

最強に面白い
数学 数と数式編

第1章
素数の世界

第2章
ルートと無理数

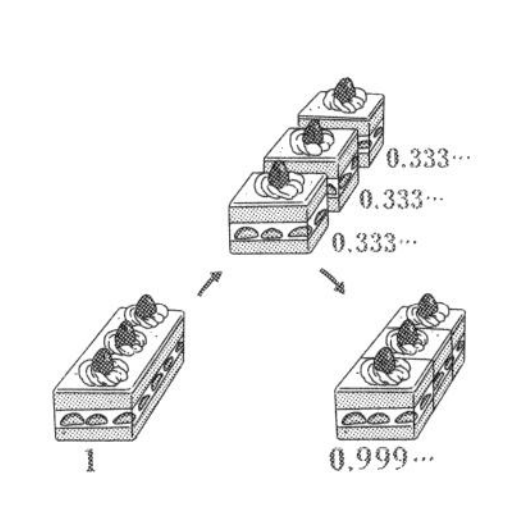
0.333…
0.333…
0.333…
1
0.999…

第3章
無限につづく数式

第4章 オイラーの等式

【本書の主な登場人物】

レオンハルト・オイラー
（1707～1783）
スイスの数学者。数学理論の発展に大きく貢献し，その名は多くの記号や定理についている。

中学生

ヒツジ

第1章

素数の世界

素数とは，「2以上の整数のうち，1と自分自身でしか割り切ることができない数」のことです。素数の定義は，とてもシンプルです。しかし素数には，まだわかっていないことがたくさんあります。第1章では，偉大な数学者たちを引きつけてきた，素数を紹介しましょう。

1 素数とは，自分自身と1でしか割り切れない数

長年にわたって，数学者をとりこにしてきた

1，2，3……と，どこまでもつづく数。そのあちらこちらに，2500年以上にわたって数学者をとりこにしてきた数，「素数」がかくれています。**素数とは，「2以上の整数のうち，1と自分自身でしか割り切ることができない数」のことです。**たとえば3は，1と自分自身の3でしか割り切ることができないので素数です。なお，1は素数ではないと決められています。

1 36の素因数分解

素因数分解は，整数を小さな素数で順番に割っていくことでできます。たとえば36を素因数分解する場合，まずいちばん小さい素数の2で割ってみましょう。2で割り切れなくなったら，次に大きな素数の3で割ります。

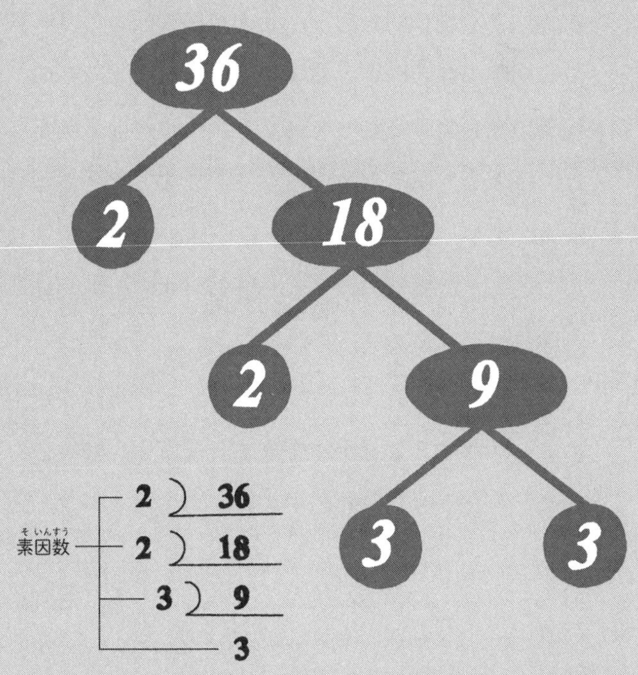

$36 = 2 \times 2 \times 3 \times 3$

注：素因数とは，その数を割り切ることのできる数（約数）のうち，素数であるもののことです。36の素因数は，2と3です。

素数は，整数の元素ともいうべき数

ある整数が素数かどうかを調べるためには，小さい素数で割り算してみるという方法があります。うまく割り切れたら，元の数は素数ともう一つの相手の数との積としてあらわされます。その相手の数も素数で割っていくと，いつかは素数だけの積としてあらわすことができます。たとえば36は，「2×2×3×3」とあらわされます。整数をこのように素数の積としてあらわすことを，素因数分解といいます。

2以上の素数ではない整数は，すべて素数のかけ算に分解することができます。素数は，整数の元素ともいうべき数なのです。

2 素数は気まぐれにあらわれる

一つ一つの整数を素因数分解するのはたいへん

前のページで，ある整数が素数かどうかを調べる方法として，小さい素数で割り算してみるという方法を紹介しました。**しかし，調べたい整数が大きい数の場合，それより小さい素数で片っ端から割り算していくのはたいへんです。**なにかいい方法はないのでしょうか。

素数の表には，秩序も法則もないようだ

19ページの表は，1から1000までの整数について，素数かどうかを色分けしたものです。

スイスの数学者のレオンハルト・オイラー

(1707～1783)は，素数の表について次のように書き残しています。**「この世には，人知ではうかがい知れない神秘が存在する。素数の表を一目見ればよい。そこに秩序も規則もないことに気づくだろう」**。

もし素数のあらわれ方に何らかの規則性があれば，素数かどうかを簡単に見わける方法がみつかるかもしれません。オイラーをはじめとするたくさんの著名な数学者たちが，素数の表をながめながら，素数の規則性をみつける挑戦をつづけてきました。

素数は，11と13のように一つおきに出てくることもあれば，887と907のように，19も間隔があくこともあるのだ。

2 1から1000までの素数の表

1から1000までの整数の中にある素数を，白色の数字で示しました。素数のあらわれ方に，規則性はないようにみえます。

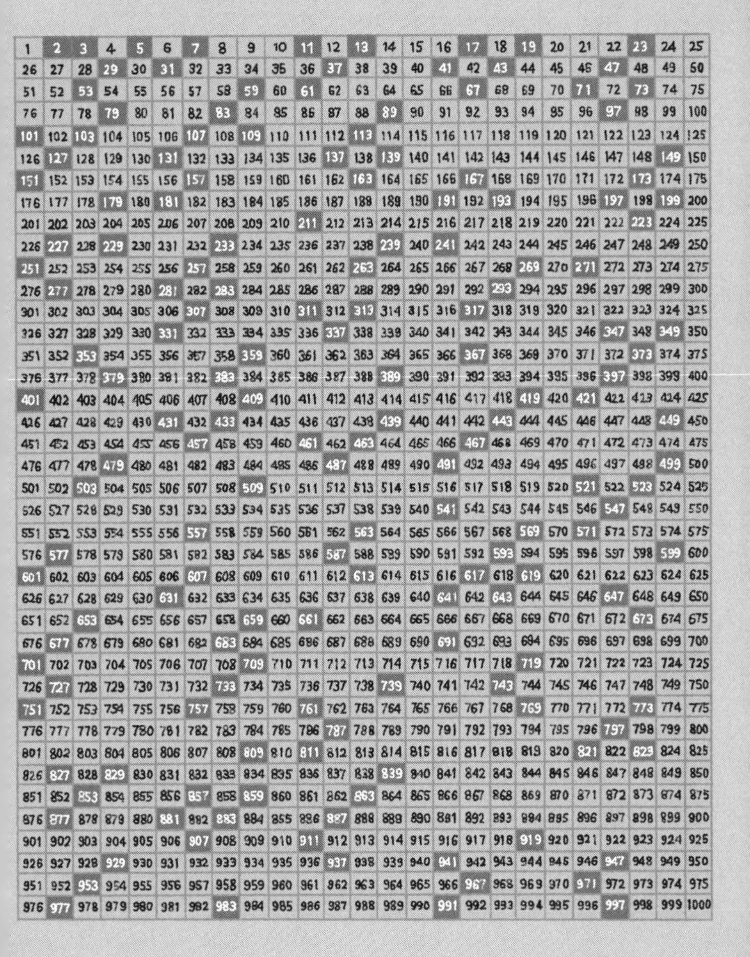

1	**2**	**3**	4	**5**	6	**7**	8	9	10	**11**	12	**13**	14	15	16	**17**	18	**19**	20	21	22	**23**	24	25
26	27	28	**29**	30	**31**	32	33	34	35	36	**37**	38	39	40	**41**	42	**43**	44	45	46	**47**	48	49	50
51	52	**53**	54	55	56	57	58	**59**	60	**61**	62	63	64	65	66	**67**	68	69	70	**71**	72	**73**	74	75
76	77	78	**79**	80	81	82	**83**	84	85	86	87	88	**89**	90	91	92	93	94	95	96	**97**	98	99	100
101	102	**103**	104	105	106	**107**	108	**109**	110	111	112	**113**	114	115	116	117	118	119	120	121	122	123	124	125
126	**127**	128	129	130	**131**	132	133	134	135	136	**137**	138	**139**	140	141	142	143	144	145	146	147	148	**149**	150
151	152	153	154	155	156	**157**	158	159	160	161	162	**163**	164	165	166	**167**	168	169	170	171	172	**173**	174	175
176	177	178	**179**	180	**181**	182	183	184	185	186	187	188	189	190	**191**	192	**193**	194	195	196	**197**	198	**199**	200
201	202	203	204	205	206	207	208	209	210	**211**	212	213	214	215	216	217	218	219	220	221	222	**223**	224	225
226	**227**	228	**229**	230	231	232	**233**	234	235	236	237	238	**239**	240	**241**	242	243	244	245	246	247	248	249	250
251	252	253	254	255	256	**257**	258	259	260	261	262	**263**	264	265	266	267	268	**269**	270	**271**	272	273	274	275
276	**277**	278	279	280	**281**	282	**283**	284	285	286	287	288	289	290	291	292	**293**	294	295	296	297	298	299	300
301	302	303	304	305	306	**307**	308	309	310	**311**	312	**313**	314	315	316	**317**	318	319	320	321	322	323	324	325
326	327	328	329	330	**331**	332	333	334	335	336	**337**	338	339	340	341	342	343	344	345	346	**347**	348	**349**	350
351	352	**353**	354	355	356	357	358	**359**	360	361	362	363	364	365	366	**367**	368	369	370	371	372	**373**	374	375
376	377	378	**379**	380	381	382	**383**	384	385	386	387	388	**389**	390	391	392	393	394	395	396	**397**	398	399	400
401	402	403	404	405	406	407	408	**409**	410	411	412	413	414	415	416	417	418	**419**	420	**421**	422	423	424	425
426	427	428	429	430	**431**	432	**433**	434	435	436	437	438	**439**	440	441	442	**443**	444	445	446	447	448	**449**	450
451	452	453	454	455	456	**457**	458	459	460	**461**	462	**463**	464	465	466	**467**	468	469	470	471	472	473	474	475
476	477	478	**479**	480	481	482	483	484	485	486	**487**	488	489	490	**491**	492	493	494	495	496	497	498	**499**	500
501	502	**503**	504	505	506	507	508	**509**	510	511	512	513	514	515	516	517	518	519	520	**521**	522	**523**	524	525
526	527	528	529	530	531	532	533	534	535	536	537	538	539	540	**541**	542	543	544	545	546	**547**	548	549	550
551	552	553	554	555	556	**557**	558	559	560	561	562	**563**	564	565	566	567	568	**569**	570	**571**	572	573	574	575
576	**577**	578	579	580	581	582	583	584	585	586	**587**	588	589	590	591	592	**593**	594	595	596	597	598	**599**	600
601	602	603	604	605	606	**607**	608	609	610	611	612	**613**	614	615	616	**617**	618	**619**	620	621	622	623	624	625
626	627	628	629	630	**631**	632	633	634	635	636	637	638	639	640	**641**	642	**643**	644	645	646	**647**	648	649	650
651	652	**653**	654	655	656	657	658	**659**	660	**661**	662	663	664	665	666	667	668	669	670	671	672	**673**	674	675
676	**677**	678	679	680	681	682	**683**	684	685	686	687	688	689	690	**691**	692	693	694	695	696	697	698	699	700
701	702	703	704	705	706	707	708	**709**	710	711	712	713	714	715	716	717	718	**719**	720	721	722	723	724	725
726	**727**	728	729	730	731	732	**733**	734	735	736	737	738	**739**	740	741	742	**743**	744	745	746	747	748	749	750
751	752	753	754	755	756	**757**	758	759	760	**761**	762	763	764	765	766	767	768	**769**	770	771	772	**773**	774	775
776	777	778	779	780	781	782	783	784	785	786	**787**	788	789	790	791	792	793	794	795	796	**797**	798	799	800
801	802	803	804	805	806	807	808	**809**	810	**811**	812	813	814	815	816	817	818	819	820	**821**	822	**823**	824	825
826	**827**	828	**829**	830	831	832	833	834	835	836	837	838	**839**	840	841	842	843	844	845	846	847	848	849	850
851	852	**853**	854	855	856	**857**	858	**859**	860	861	862	**863**	864	865	866	867	868	869	870	871	872	873	874	875
876	**877**	878	879	880	**881**	882	**883**	884	885	886	**887**	888	889	890	891	892	893	894	895	896	897	898	899	900
901	902	903	904	905	906	**907**	908	909	910	**911**	912	913	914	915	916	917	918	**919**	920	921	922	923	924	925
926	927	928	**929**	930	931	932	933	934	935	936	**937**	938	939	940	**941**	942	943	944	945	946	**947**	948	949	950
951	952	**953**	954	955	956	957	958	959	960	961	962	963	964	965	966	**967**	968	969	970	**971**	972	973	974	975
976	**977**	978	979	980	981	982	**983**	984	985	986	987	988	989	990	**991**	992	993	994	995	996	**997**	998	999	1000

3 素数を効率よく探しだす方法

次々に素数の倍数を消していく

　古代ギリシアの学者のエラトステネス（紀元前276年ごろ～紀元前194年ごろ）は，連続してたくさんある整数の中から，素数だけを抜きだす方法を発見しました。「エラトステネスの篩」とよばれる方法です。エラトステネスの篩は，簡単にいってしまうと消去法です。

　まず，調べたいすべての整数を順番に書きだして，一覧表にします。一覧表ができたら，最初は2の倍数を消します（ただし2は素数なので残します）。次に残った整数の中から3の倍数を消します（ただし3は素数なので残します）。こうして次々に素数の倍数を消していくと，最後に素数が残るのです。ただし1は，素数ではありません。

3 エラトステネスの篩

エラトステネスの方法は，素数を残しながら素数の倍数を順番に消していく方法です。素数ではない数を効率よくふるい落としていくことができます。

素数以外がふるい落とされた結果

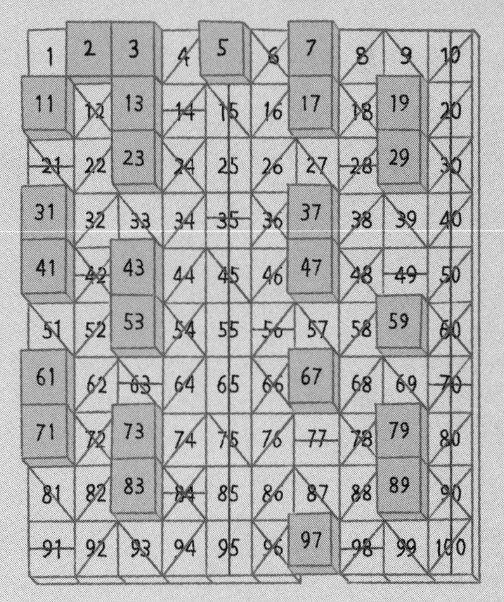

凡例

…2の倍数　…5の倍数

…3の倍数　…7の倍数

100までの素数は，
2，3，5，7の倍数を消す

100までの素数を全部みつけたい場合は，21ページのように，素数である2，3，5，7の倍数を順番に消していきます。すると7の次の素数である11の倍数については，ここまでにすでに消されています※。13以降の素数の倍数についても，同じように消されています。**残った数のうち，1以外がすべて素数になります。**

※：11の倍数で次に消されるのは，2の倍数でも3の倍数でも5の倍数でも7の倍数でもない，121（11×11）です。121は100よりも大きいので，これ以上，素数の倍数を消す作業をしなくてもいいことがわかります。

エラトステネス
（紀元前276年ごろ～紀元前194年ごろ）

4 素数かどうかを判定できる「ウィルソンの定理」

百発百中で判定できる

ある整数が素数かどうかを百発百中で判定することができる，「ウィルソンの定理」を紹介しましょう。

今，ある整数pが素数かどうかをたしかめたいとします。**ウィルソンの定理とは，「1から($p-1$)までの数をすべてかけ算してpで割り算したときに，余りが($p-1$)ならば，pは素数である」という定理です。**

たとえば整数13が素数かどうかたしかめる場合，1から(13－1)までの数をすべてかけ算すると479001600となります($1\times2\times3\times4\times5\times6\times7\times8\times9\times10\times11\times12=479001600$)。この数を13で割ると商が36846276で余りが12です。余りが(13－1)で

あることから，13は素数であることがわかります。

ウィルソンの定理は，実用的ではない

しかしウィルソンの定理は，エラトステネスの篩にかわるような，便利な方法とはいえません。**たとえば整数10001が素数かどうかをたしかめるためには，1万回もかけ算をする必要があり，実用的ではないのです。**

今では，素数判定の便利な方法がいくつか知られているメー。そのアイデアの一つは，ネットショッピングで使われる暗号などに応用されているメー。

4 ウィルソンの定理と計算例

ウィルソンの定理で，2から13までの整数が素数かどうかを判定した結果を示しました。2，3，5，7，11，13の場合にだけ，余りが$(p-1)$となります。したがって，2から13までの整数のうち，2，3，5，7，11，13が素数です。

ウィルソンの定理

ある整数pが，素数かどうかをたしかめたいとする。もし，1から$(p-1)$までの数をすべてかけ算してpで割り算したときに，余りが$(p-1)$ならば，pは素数である。

計算結果

p	1から$(p-1)$までの数をすべてかけ算した結果	左の数をpで割り算したときの余り	素数かどうかの判定
2	1	$1=(p-1)$	**素数**
3	2	$2=(p-1)$	**素数**
4	6	2	素数ではない
5	24	$4=(p-1)$	**素数**
6	120	0	素数ではない
7	720	$6=(p-1)$	**素数**
8	5040	0	素数ではない
9	40320	0	素数ではない
10	362880	0	素数ではない
11	3628800	$10=(p-1)$	**素数**
12	39916800	0	素数ではない
13	479001600	$12=(p-1)$	**素数**

素数の周期で大発生する「素数ゼミ」

アメリカには，正確に13年または17年ごとに羽化するセミが生息しています。13と17はどちらも素数であることから，「素数ゼミ（周期ゼミ）」とよばれています。**羽化する周期が13年または17年なのは，偶然ではなく，13と17が素数であるからこそだと考えられています。**

素数ゼミの祖先には，素数以外の周期で羽化するものもいたと推測されています。ことなる周期の群れどうしは，同じ年に羽化することもあります。周期の最小公倍数にあたる年です。**周期のことなる雄と雌から生まれた幼虫は，周期が親とずれてしまう場合があり，親は自分と同じ周期の子を残せずに，群れが小さくなっていったと推測されています。**

13と17は素数であるため，ほかの数との最小公倍数が比較的大きくなります。**つまり，13年周期と17年周期の群れはほかの群れと同じ年に羽化する機会が少なかったために，絶滅することなく現在にいたったと考えられているのです。**

2024年は，221年に一度の「13年ゼミと17年ゼミが同時発生する年です。

5 素数は，無限に存在する！

素数が有限個しかないと仮定してみる

　素数は無限にあることが，2000年以上も前にわかっています。古代ギリシアの数学者ユークリッド（紀元前330年ごろ～紀元前270年ごろ）の著書に書かれている方法は，次のようなものです。

　今，素数が有限個しかないと仮定します。ここでは，素数が2と3と5の3個しかないと仮定します。この有限個の素数の積に1を加えてできる，「31」という数はどんな数でしょうか。

素数がn個あれば，$n+1$個目の素数が存在する

31は2で割っても，3で割っても，5で割っても余りが1になります。「素数は2と3と5の3個しかない」という最初の仮定が正しければ，すべての整数は2と3と5のかけ算であらわせるはずですから，31が2と3と5で割り切れないというのは最初の仮定と矛盾します。**つまり「素数は2と3と5の3個しかない」という最初の仮定がまちがっており，4個目の素数が存在することになります（背理法）。**

同様に，素数がn個（有限個）あれば，$n+1$個目の素数が存在することを示せます。このことから，素数は無限にあるといえるのです。

ユークリッドの著書は『原論』というタイトルで，幾何学や整数の理論がまとめられているよ。

5 素数が無限にあることの証明

素数が限られた数しかないと仮定すると(ここでは2と3と5)，それらでは割り切れない数を必ずつくることができます(2×3×5＋1＝31)。すなわち，素数が限られた数しかないという仮定がまちがっていることがわかります。

ユークリッド
(紀元前330年ごろ
〜紀元前270年ごろ)

存在すると仮定した素数(2と3と5)をかけ，1を足した数をつくる(31)。

小学校や中学校で学ぶ図形は，すでにユークリッドの時代から研究されていたのだよ。

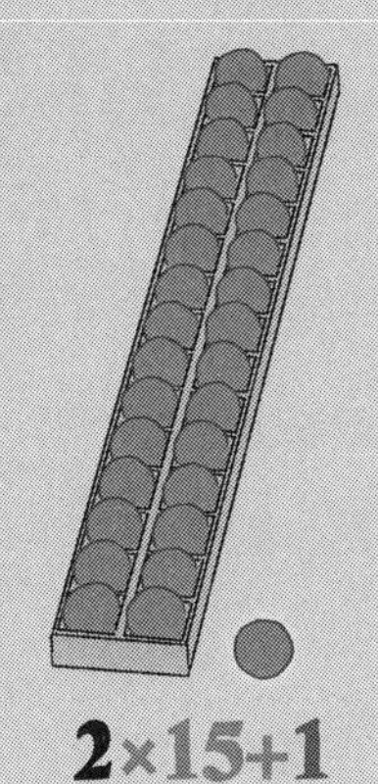

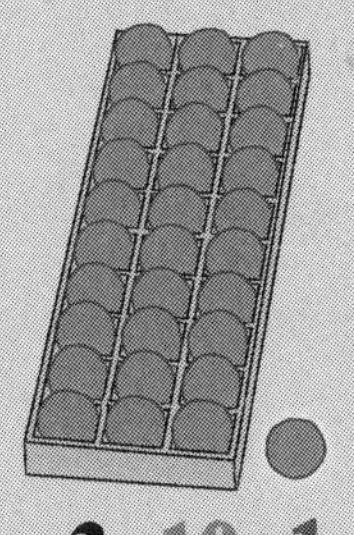

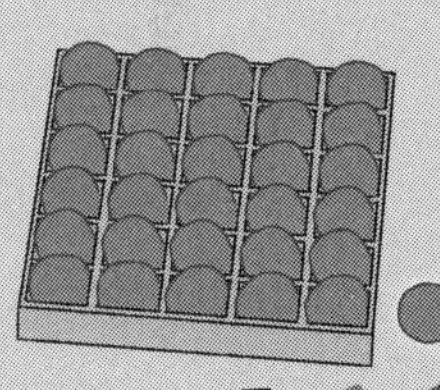

2×15+1

2で割ると1あまる

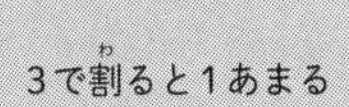

3で割ると1あまる

5×6+1

5で割っても1あまる

6 縦，横，斜め，どこから読んでも素数になる奇妙な数

行と列と対角線が，すべて素数

無限にある素数の中には，奇妙な素数が存在することがわかっています。

右ページの数は，3ではじまる1089けたの素数を，左上から右下に向かって，33行に分けて書いたものです。1行は，33文字の数字でできています。この数字の集まりは，きわめて奇妙です。

まず，横方向の33行の数字は，左から右に読むと，1行ずつがすべて素数です。また，縦方向の33列の数字も，上から下に読むと，1列ずつがすべて素数です。そして，2本の対角線の上にある数字も，上から斜め下に読むと，それぞれが素数です。つまり行と列と対角線が，すべて素数なのです。

6　1089けたの奇妙な素数

1089けたの素数を，33文字ずつ33行に分けて書いた数字の集まりです。33行の数と33列の数と2本の対角線上にある数は，すべて素数です。どちらの方向から読んでも，素数です。

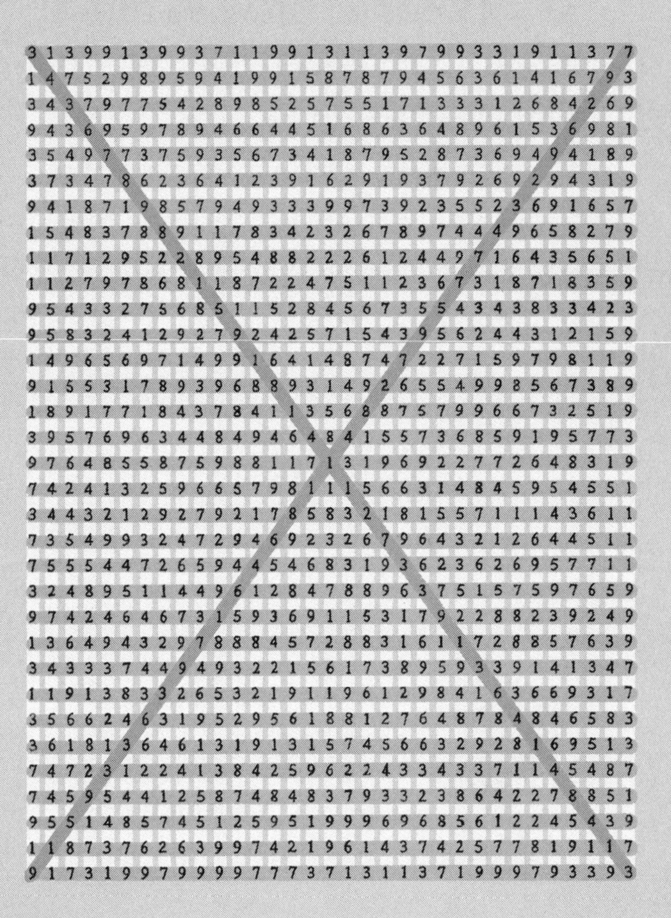

3 1 3 9 9 1 3 9 9 3 7 1 1 9 9 1 3 1 1 3 9 7 9 9 3 3 1 9 1 1 3 7 7
1 4 7 5 2 9 8 9 5 9 4 1 9 9 1 5 8 7 8 7 9 4 5 6 3 6 1 4 1 6 7 9 3
3 4 3 7 9 7 7 5 4 2 8 9 8 5 2 5 7 5 5 1 7 1 3 3 3 1 2 6 8 4 2 6 9
9 4 3 6 9 5 9 7 8 9 4 6 6 4 4 5 1 6 8 6 3 6 4 8 9 6 1 5 3 6 9 8 1
3 5 4 9 7 7 3 7 5 9 3 5 6 7 3 4 1 8 7 9 5 2 8 7 3 6 9 4 9 4 1 8 9
3 7 3 4 7 8 6 2 3 6 4 1 2 3 9 1 6 2 9 1 9 3 7 9 2 6 9 2 9 4 3 1 9
9 4 1 8 7 1 9 8 5 7 9 4 9 3 3 3 9 9 7 3 9 2 3 5 5 2 3 6 9 1 6 5 7
1 5 4 8 3 7 8 8 9 1 1 7 8 3 4 2 3 2 6 7 8 9 7 4 4 4 9 6 5 8 2 7 9
1 1 7 1 2 9 5 2 2 8 9 5 4 8 8 2 2 2 6 1 2 4 4 9 7 1 6 4 3 5 6 5 1
1 1 2 7 9 7 8 6 8 1 1 8 7 2 2 4 7 5 1 1 2 3 6 7 3 1 8 7 1 8 3 5 9
9 5 4 3 3 2 7 5 6 8 5 1 1 5 2 8 4 5 6 7 3 5 5 4 3 4 3 8 3 3 4 2 3
9 5 8 3 2 4 1 2 9 2 7 9 2 4 2 5 7 1 5 4 3 9 5 6 2 4 4 3 1 2 1 5 9
1 4 9 6 5 6 9 7 1 4 9 9 1 6 4 1 4 8 7 4 7 2 2 7 1 5 9 7 9 8 1 1 9
9 1 5 5 3 1 7 8 9 3 9 6 8 8 9 3 1 4 9 2 6 5 5 4 9 9 8 5 6 7 3 8 9
1 8 9 1 7 7 1 8 4 3 7 8 4 1 1 3 5 6 8 8 7 5 7 9 9 6 6 7 3 2 5 1 9
3 9 5 7 6 9 6 3 4 4 8 4 9 4 6 4 8 4 1 5 5 7 3 6 8 5 9 1 9 5 7 7 3
9 7 6 4 8 5 5 8 7 5 9 8 8 1 1 7 1 3 1 9 6 9 2 2 7 7 2 6 4 8 3 1 9
7 4 2 4 1 3 2 5 9 6 6 5 7 9 8 1 1 1 5 6 6 3 1 4 8 4 5 9 5 4 5 5 1
3 4 4 3 2 1 2 9 2 7 9 2 1 7 8 5 8 3 2 1 8 1 5 5 7 1 1 1 4 3 6 1 1
7 3 5 4 9 9 3 2 4 7 2 9 4 6 9 2 3 2 6 7 9 6 4 3 2 1 2 6 4 4 5 1 1
7 5 5 5 4 4 7 2 6 5 9 4 4 5 4 6 8 3 1 9 3 6 2 3 6 2 6 9 5 7 7 1 1
3 2 4 8 9 5 1 1 4 4 9 6 1 2 8 4 7 8 8 9 6 3 7 5 1 5 7 5 9 7 6 5 9
9 7 4 2 4 6 4 6 7 3 1 5 9 3 6 9 1 1 5 3 1 7 9 2 2 8 8 2 3 9 2 4 9
1 3 6 4 9 4 3 2 9 7 8 8 8 4 5 7 2 8 8 3 1 6 1 1 7 2 8 8 5 7 6 3 9
3 4 3 3 3 7 4 4 9 4 9 3 2 2 1 5 6 1 7 3 8 9 5 9 3 3 9 1 4 1 3 4 7
1 1 9 1 3 8 3 3 2 6 5 3 2 1 9 1 1 9 6 1 2 9 8 4 1 6 3 6 6 9 3 1 7
3 5 6 6 2 4 6 3 1 9 5 2 9 5 6 1 8 8 1 2 7 6 4 8 7 8 4 8 4 6 5 8 3
3 6 1 8 1 3 6 4 6 1 3 1 9 1 3 1 5 7 4 5 6 6 3 2 9 2 8 1 6 9 5 1 3
7 4 7 2 3 1 2 2 4 1 3 8 4 2 5 9 6 2 2 4 3 3 4 3 3 7 1 1 4 5 4 8 7
7 4 5 9 5 4 4 1 2 5 8 7 4 8 4 8 3 7 9 3 3 2 3 8 6 4 2 2 7 8 8 5 1
9 5 5 1 4 8 5 7 4 5 1 2 5 9 5 1 9 9 9 6 9 6 8 5 6 1 2 2 4 5 4 3 9
1 1 8 7 3 7 6 2 6 3 9 9 7 4 2 1 9 6 1 4 3 7 4 2 5 7 7 8 1 9 1 1 7
9 1 7 3 1 9 9 7 9 9 9 9 7 7 7 3 7 1 3 1 1 3 7 1 9 9 9 7 9 3 3 9 3

数字を逆から読んでも，すべて素数

さらに驚異的なのは，33行の数字を右から左に読んでも，33列の数字を下から上に読んでも，2本の対角線上にある数字を下から斜め上に読んでも，すべて素数であることです。この奇妙な素数は，「Prime Curios !」というウェブサイトに投稿されました。サイトには，ほかにも奇妙な素数がたくさん掲載されています。

（出典：「Prime Curios !」のウェブサイト：https://primes.utm.edu/curios/，3ではじまる1089けたの素数のページ：https://primes.utm.edu/curios/page.php?number_id=2962）

「Prime Curios !」は，アメリカのバージニア州で高校の数学と科学を教える教師と，テネシー州のテネシー大学マーチン校で数学と統計学を教える教授が編集しているウェブサイトなんだメー。

7 天才数学者たちは，素数を生みだす数式に挑戦した

エラトステネスの方法は，しらみつぶし

エラトステネスの篩は，決まった範囲の整数から，素数をもれなく抜きだすことを可能にしました。しかしこの方法は，素数かどうかをしらみつぶしに調べているにすぎません。**数学者たちは，素数を生みだす式をつくることに挑戦してきました。**

素数だけをあらわす簡単な式があったら，見てみたいな！

フェルマーが考案した数式は，誤りだった

　フランスの数学者のピエール・ド・フェルマー（1607ごろ～1665）は，「$2^{2^n}+1$で計算される数は素数である」と予想しました。nが0，1，2，3，4の場合に，計算結果が素数になったからです。**しかし，フェルマーの予想に反して，現在までに，この式で計算結果が素数になることがわかっているのは，nが0，1，2，3，4の場合だけです。**

ピエール・ド・フェルマー
（1607ごろ～1665）

7 フェルマーの数式

フェルマーの数式$2^{2^n}+1$で，計算結果が素数になることがわかっているのは，***n***が0，1，2，3，4の場合だけです。***n***が5～32の計算結果は，素数ではないことがわかっています。

n	$2^{2^n}+1$
0	$2^1+1=3$ 素数
1	$2^2+1=5$ 素数
2	$2^4+1=17$ 素数
3	$2^8+1=257$ 素数
4	$2^{16}+1=65537$ 素数
5	$2^{32}+1=4294967297$ 素数ではない
6	$2^{64}+1=$（20けたの数）素数ではない
7	$2^{128}+1=$（39けたの数）素数ではない
8	$2^{256}+1=$（78けたの数）素数ではない
9	$2^{512}+1=$（155けたの数）素数ではない
10	$2^{1024}+1=$（309けたの数）素数ではない
11	$2^{2048}+1=$（617けたの数）素数ではない

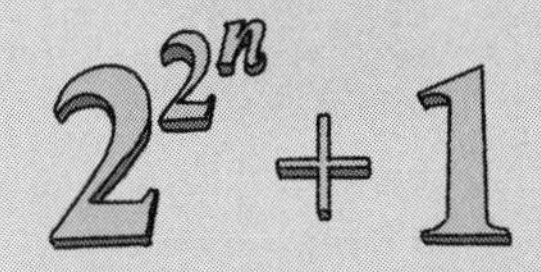

8 メルセンヌによる素数の予想も，正しくなかった

2^n-1で計算される「メルセンヌ数」

フランスのカトリック教会の修道士のマラン・メルセンヌ（1588～1648）は，「nが257以下のとき，2^n-1で計算される数が素数になるのは，nが2，3，5，7，13，17，19，31，67，127，257の場合だけである」と主張しました。2^n-1で計算される整数は，「メルセンヌ数」とよばれます。

マラン・メルセンヌ
（1588～1648）

メルセンヌ数から巨大な素数をみつける試み

nが巨大な場合のメルセンヌ数は，巨大な整数になるため，メルセンヌの予想が正しいのかどうかはすぐにはわかりませんでした。その後，メルセンヌ数が素数であるかどうかを判定できる「リュカ・テスト」が1878年に発表されたことによって，メルセンヌの予想は正しくないことが明らかにされました。

現在では，リュカ・テストを改良した「リュカ-レーマー・テスト」を使って，nの値が大きなメルセンヌ数の中から，巨大な素数をみつける試みが行われています。

メルセンヌの予想に反して，メルセンヌ数が素数になるのは，nが257以下のとき，nが2，3，5，7，13，17，19，31，61，89，107，127の場合なのだ。

8 メルセンヌ数

メルセンヌ数の中で，素数であることがわかっているのは，51個です。nが82589933のメルセンヌ数は，2024年5月現在，発見されている素数の中で最も巨大な素数とみられています。

n	$2^n - 1$ ［素数のうしろの（　）の中は発見された年］
1	$2^1 - 1 = 1$ 素数ではない
2	$2^2 - 1 = 3$ 素数（古代）
3	$2^3 - 1 = 7$ 素数（古代）
4	$2^4 - 1 = 15$ 素数ではない
5	$2^5 - 1 = 31$ 素数（古代）
6	$2^6 - 1 = 63$ 素数ではない
7	$2^7 - 1 = 127$ 素数（古代）
8	$2^8 - 1 = 255$ 素数ではない
9	$2^9 - 1 = 511$ 素数ではない
10	$2^{10} - 1 = 1023$ 素数ではない
11	$2^{11} - 1 = 2047$ 素数ではない
12	$2^{12} - 1 = 4095$ 素数ではない
13	$2^{13} - 1 = 8191$ 素数（1456年）
14	$2^{14} - 1 = 16383$ 素数ではない
15	$2^{15} - 1 = 32767$ 素数ではない
16	$2^{16} - 1 = 65535$ 素数ではない

2^n-1

n	2^n-1 ［素数のうしろの（　）の中は発見された年］
17	$2^{17}-1=131071$ 素数（1588年）
18	$2^{18}-1=262143$ 素数ではない
19	$2^{19}-1=524287$ 素数（1588年）
31	$2^{31}-1=2147483647$ 素数（1772年）
61	$2^{61}-1=$（19けたの数）素数（1883年）
67	$2^{67}-1=$（21けたの数）素数ではない
89	$2^{89}-1=$（27けたの数）素数（1911年）
107	$2^{107}-1=$（33けたの数）素数（1914年）
127	$2^{127}-1=$（39けたの数）素数（1876年）
257	$2^{257}-1=$（78けたの数）素数ではない
521	$2^{521}-1=$（157けたの数）素数（1952年）
21701	$2^{21701}-1=$（6533けたの数）素数（1978年）
1398269	$2^{1398269}-1=$（42万921けたの数）素数（1996年）
74207281	$2^{74207281}-1=$（2233万8618けたの数）素数（2016年1月）
77232917	$2^{77232917}-1=$（2324万9425けたの数）素数（2017年12月）
82589933	$2^{82589933}-1=$（2486万2048けたの数）素数（2018年12月）

9 オイラーが発見した素数を連続してつくる数式

素数を，連続して40個つくることができる

オイラーは，素数の表には秩序も規則もないと書き残した一方で，「素数をつづけて生みだす式」をいくつも考えました。

たとえば，二次式「$n^2 - n + 41$」です。**この式がつくる整数は，nが1～40のとき，すべて素数になります。**nに1からはじまる整数を順に代入していくことによって，素数を40個も立てつづけにつくることができるのです。

41個目から，素数ではない整数がまざる

しかしこの式も万能ではありません。オイラー自身もわかっていたものの，nが41以上になると，素数ではない整数がまざるようになってしまうのです。試しに，この式のnに41を代入してみましょう。すると，素数ではない答え「1681」がみちびかれてしまいます。

なお，現代では，「$n^2 - n + 41$」のような，変数が1種類だけ入った式で，素数ばかりを生みだす式をつくることはできないことが証明されています。

レオンハルト・オイラー
（1707～1783）

9 オイラーの二次式

オイラーが考案した数式は，nが1～40のとき，計算結果がすべて素数になることが特徴です。しかし，nが41以上になると，素数ではない整数と素数がまざってしまいます。nまたは$n-1$が41の倍数ならば，n^2-n+41は41の倍数になってしまいますね。

n	n^2-n+41
1	$1^2-1+41=41$ 素数
2	$2^2-2+41=43$ 素数
3	$3^2-3+41=47$ 素数
4	$4^2-4+41=53$ 素数
5	$5^2-5+41=61$ 素数
6	$6^2-6+41=71$ 素数
7	$7^2-7+41=83$ 素数
8	$8^2-8+41=97$ 素数
9	$9^2-9+41=113$ 素数
10	$10^2-10+41=131$ 素数
11	$11^2-11+41=151$ 素数
12	$12^2-12+41=173$ 素数
13	$13^2-13+41=197$ 素数
14	$14^2-14+41=223$ 素数
15	$15^2-15+41=251$ 素数
16	$16^2-16+41=281$ 素数
17	$17^2-17+41=313$ 素数
18	$18^2-18+41=347$ 素数
19	$19^2-19+41=383$ 素数
20	$20^2-20+41=421$ 素数
21	$21^2-21+41=461$ 素数
22	$22^2-22+41=503$ 素数

n^2-n+41

n	n^2-n+41
23	$23^2-23+41=547$ 素数
24	$24^2-24+41=593$ 素数
25	$25^2-25+41=641$ 素数
26	$26^2-26+41=691$ 素数
27	$27^2-27+41=743$ 素数
28	$28^2-28+41=797$ 素数
29	$29^2-29+41=853$ 素数
30	$30^2-30+41=911$ 素数
31	$31^2-31+41=971$ 素数
32	$32^2-32+41=1033$ 素数
33	$33^2-33+41=1097$ 素数
34	$34^2-34+41=1163$ 素数
35	$35^2-35+41=1231$ 素数
36	$36^2-36+41=1301$ 素数
37	$37^2-37+41=1373$ 素数
38	$38^2-38+41=1447$ 素数
39	$39^2-39+41=1523$ 素数
40	$40^2-40+41=1601$ 素数
41	$41^2-41+41=1681$ 素数ではない
42	$42^2-42+41=1763$ 素数ではない
43	$43^2-43+41=1847$ 素数
44	$44^2-44+41=1933$ 素数
45	$45^2-45+41=2021$ 素数ではない

みつかっている最大の素数は？

博士。これまでにみつかっているいちばん大きな素数は，どんな数ですか？

2018年12月に発見された，$2^{82589933}-1$じゃな。この素数は，2486万2048けたもあるぞ。

大きさが想像できないです。

そうじゃのう。この「超図解新書」の本の数字は，2ミリくらいの幅で印刷されておる。1行に30けた，1ページ20行とすると，1ページに600けた入る。2486万2048けたの素数を印刷すると，4万ページをこえる計算になるな。

絶対に読みたくないです。

わしもじゃよ。ちなみに，この素数を発見したのは，「GIMPS」というプロジェクトじゃ。GIMPSでは，インターネットを通じて，世界中のコンピューターに計算を手伝ってもらっておる。個人でも参加できるぞ。

10 会議中の落書きに，素数の変な模様があらわれた

いくつもの線が走っているようにみえる

素数は，どのようなパターンであらわれるのでしょうか。

アメリカの数学者のスタニスラフ・ウラム（1909～1984）は，会議中の退屈しのぎに，整数をらせん状に並べる落書きをしてみたといいます。**素数だけに印をつけてみると，いくつもの斜めの線や縦横の線が走っているようにみえる，不思議な模様があらわれました（50～51ページの画像）。**この模様は，「ウラムのらせん」とよばれています。ただしこの模様が何を意味するものなのかは，わかっていません。

差が2の双子素数，差が6のセクシー素数

素数の出現パターンには，「双子」や「いとこ」の名がついたものもあります。**「3と5」や「11と13」のように，差が2のペアが「双子素数」です。また，「3と7」や「7と11」のように，差が4のペアが「いとこ素数」です。**

また，「5と11」や「7と13」のように，差が6のペアは「セクシー素数」とよばれます。ラテン語で，数字の6を「sex（セクス）」ということに由来します。

「3と5」「5と7」「11と13」「17と19」…。双子素数は，ある偶数をはさんで隣り合う素数の組なんだメー。

10 ウラムのらせん

ウラムは，整数をらせん状に並べて素数に印をつけました。すると，斜めの線や縦横の線がいくつも走っているかのような模様があらわれることを発見しました。

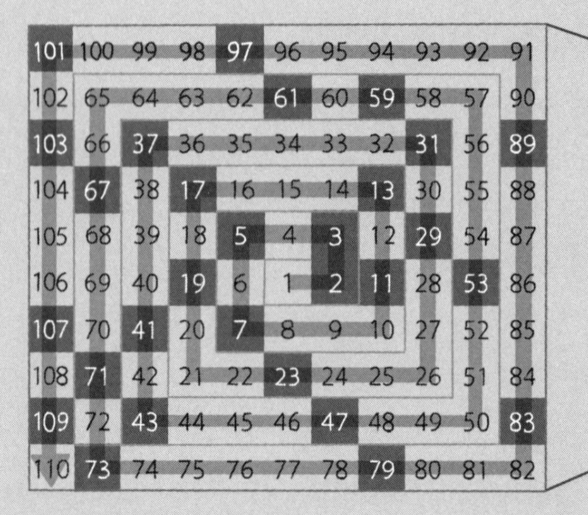

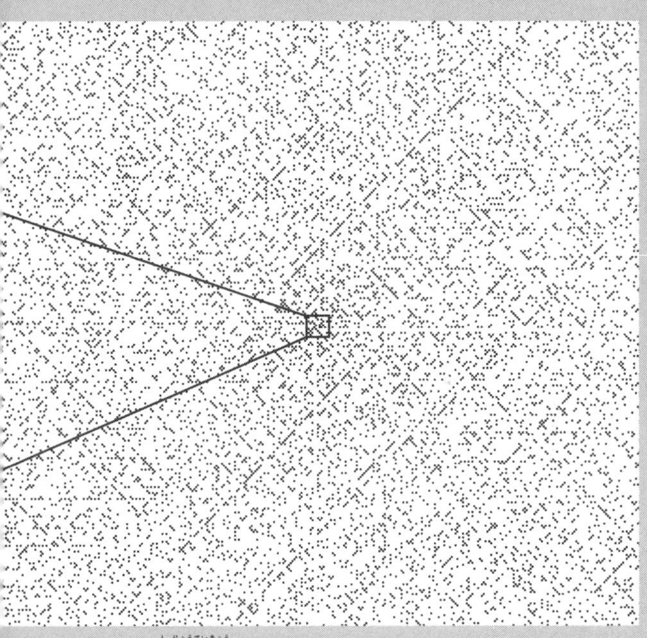

［イラスト資料提供：ウルフラムリサーチ（courtesy of Wolfram Research）］

11 数学者たちが手を焼く双子の素数

双子素数は無限に存在するのか

前のページで紹介した双子素数（ある素数と，2だけはなれた素数のペア）には，双子素数は無限に存在するのかという未解決の問題が残されています。

双子素数のあらわれる頻度は，数が大きくなればなるほど減っていき，まばらになっていきます。しかし非常に大きな数になっても，ときどきあらわれるのです。

「双子素数は無限に存在する」という予想があって，これを「双子素数予想」というよ。「双子素数予想」は誰が最初に提唱したのか，わかっていないんだって。

最も大きい双子素数は38万けた以上

2024年5月現在，発見されている最も大きい双子素数は，38万8342けたもある巨大なものです（$2996863034895 \times 2^{1290000} \pm 1$）。その巨大な素数は，2016年9月に「Prime Grid」とよばれるプロジェクトによって発見されました。

しかし，その先もさらに大きい双子素数が無限にみつかるのかどうかはわかっていません。**「差が2の素数」といわれると，まだわかりませんが，「差が7千万以下の素数」でよければ無限にあることを2014年に張益唐という数学者が発見して，大きな話題になりました。その後研究が進んで，今では「差が246以下の素数」が無限にあることが証明されています。**

11 双子素数

双子素数の例を示しました。大きな数になるにつれて，双子素数はなかなか登場しなくなります。双子素数が無限にあるのかどうかは，わかっていません。

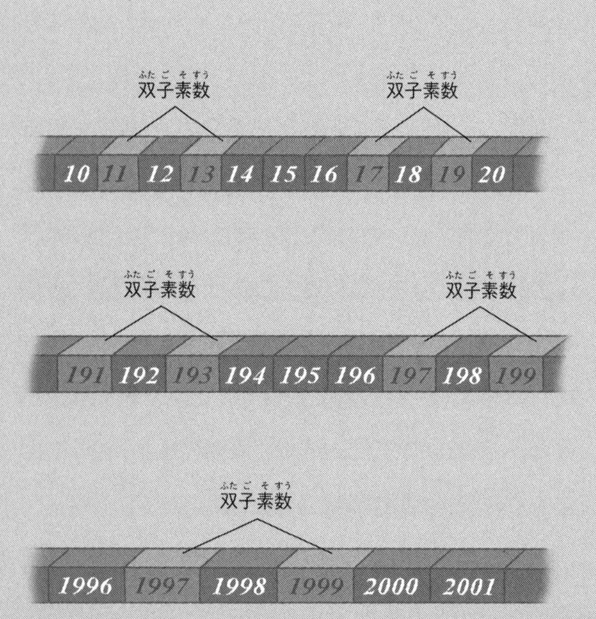

ちなみに「三つ子素数」は，3，5，7の1セットしかないのだよ。

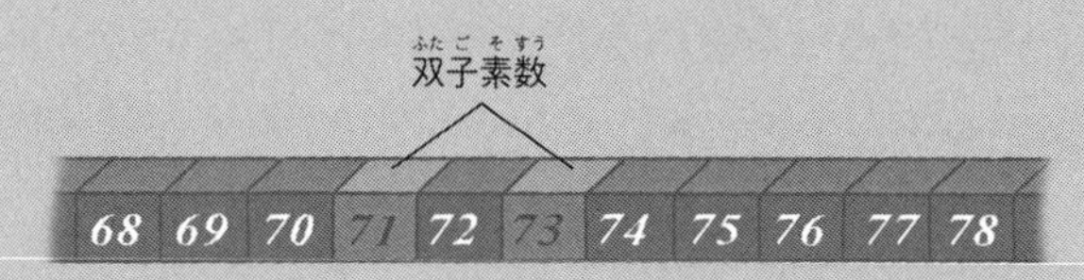

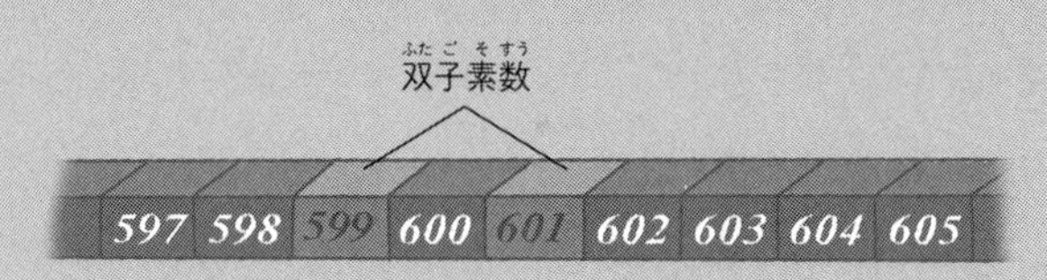

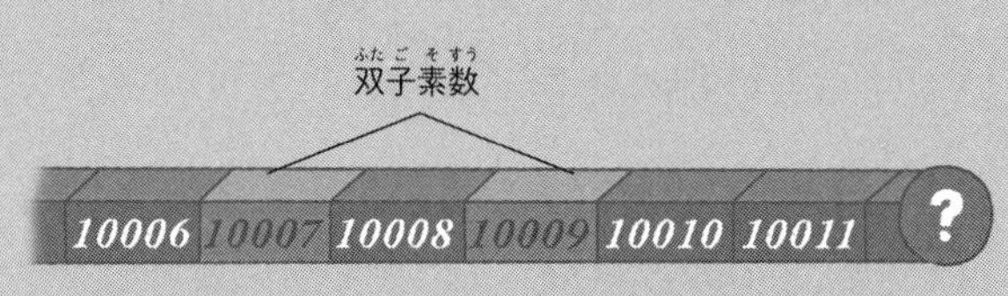

双子素数は無限にあるのだろうか？

12 4以上の偶数は，2個の素数の和であらわせる

「4＝2＋2」，「6＝3＋3」，「8＝5＋3」

ドイツの数学者のクリスチャン・ゴールドバッハ（1690～1764）は，4以上のあらゆる偶数は，2個の素数の和（足し算）であらわせるのではないかと予想しました。たとえば，4は「4＝2＋2」，6は「6＝3＋3」，8は「8＝5＋3」とあらわせます。

右の表を見てください。いちばん左の列には上から順に，2，3，5……と素数が並んでいます。いちばん上の行にも同じように，左から順に，2，3，5……と素数が並んでいます。左の列の素数と上の行の素数をそれぞれ足し合わせた数が，交差するマス目に書かれています。これらのマス目を見ていくと，確かに4から36までのすべて

12 ゴールドバッハの予想

いちばん左の列の素数といちばん上の行の素数を足し合わせることで，4から36までの偶数をすべてあらわすことができます。すべての偶数を同じようにしてあらわせるというのが，ゴールドバッハの予想です。

	2	3	5	7	11	13	17	19	…
2	4								
3		6	8	10	14	16	20	22	…
5			10	12	16	18	22	24	…
7				14	18	20	24	26	…
11					22	24	28	30	…
13						26	30	32	…
17							34	36	…
⋮								…	…

36までの偶数が，ホントに
2個の素数の足し算でできてる！

の偶数があります。

あらゆる偶数をあらわせるのかはわからない

ゴールドバッハの予想は，400兆以下の偶数で正しいことが確認されています。しかし，無限につづいていくあらゆる偶数で正しいのかどうかは，証明されていません。

ゴールドバッハは，オイラーと長年にわたって文通していて，その内容の大半は数論に関するものだったそうだメー。

memo

13 ある数までの素数の個数は，おおむねわかる

素数の個数の法則を発見した

ドイツの数学者のヨハン・カール・フリードリヒ・ガウス（1777～1855）は，1792年，ある整数xまでに含まれる素数の個数におおよその法則があることに気づき，数式であらわしました。「素数定理」です。ガウスは，わずか15歳のときに素数定理を発見したといわれています。

ガウスは「数学の帝王」ともよばれている。小惑星ケレスの出現位置を予測するなど，天文学にも貢献したのだ。

素数の個数を，一定の精度で計算できる

ガウスの思考を追うために，整数の列の中に素数があらわれるたびに1段上がるという階段を考えてみましょう（62～63ページのイラスト）。

ガウスの素数定理によると，階段を大きな数までのばしていくと，階段の高さが「$\pi(x) \sim \frac{x}{\log_e x}$」という数式からみちびかれるグラフの高さに近づいていきます。そして無限に大きくした先では，階段の高さとグラフの高さが一致します。

この数式を用いれば，ある整数xまでに含まれる素数の個数を，数えなくても一定の精度で計算することができます。そして，数が大きくなるほど，その精度は上がっていきます。ガウスは，素数の個数におおよその法則があることをみつけたのです。

13 素数定理

整数の列の中に素数があらわれるたびに1段上がる階段です。整数が大きな数になるにしたがい，なめらかな曲線に近づきます。このことを式であらわしたのが，素数定理です。

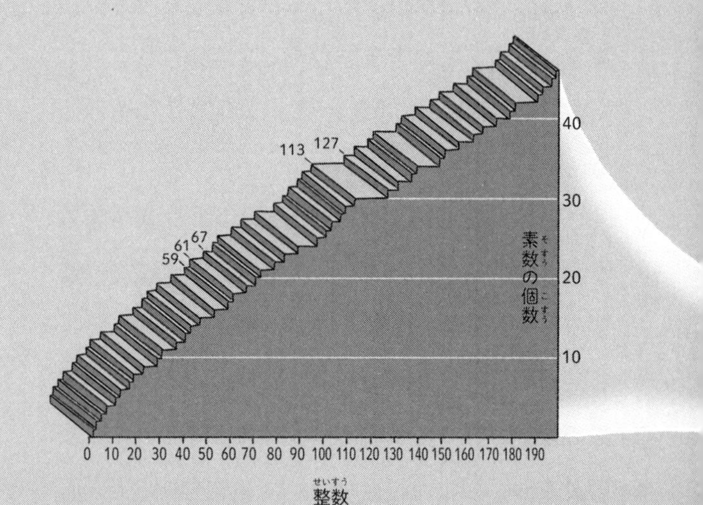

下は，素数定理をあらわしたグラフと式です。「$\pi(x)$」は，ある整数xまでに含まれるおおよその素数の個数をあらわす関数の記号です。「～」は，ほとんど等しいことをあらわす記号です。「$\log_e x$」は，「eを何乗するとxになるか」をあらわす記号で，「自然対数」といいます。「e」は，「ネイピア数」とよばれる数で，約2.718です。

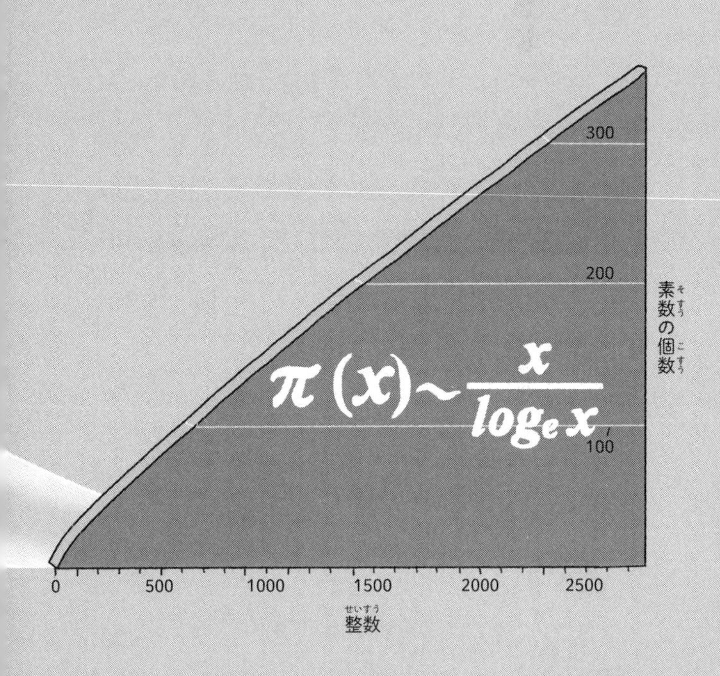

14 インターネット上の情報は，素数に守られていた！

二つの巨大な素数をかけ算して鍵にする

インターネットで情報を暗号化する際などに使われる暗号に，「RSA暗号」があります。**RSA暗号は，二つの巨大な素数をかけ算してつくった巨大な整数を鍵にします。**鍵がどんな素数をかけ算してつくられたものかを知らなければ，暗号を元の情報にもどすことはできません。

素因数分解の難しさが，有効に活用されているんだね！

14 RSA暗号の鍵

RSA暗号では，二つの素数をかけ算してつくった巨大な整数を鍵として使います。例では，4けたの素数をかけ合わせて8けたの整数をつくりました。実際には，300けた程度の素数をかけ合わせた600けた程度の整数が，鍵として使われます。

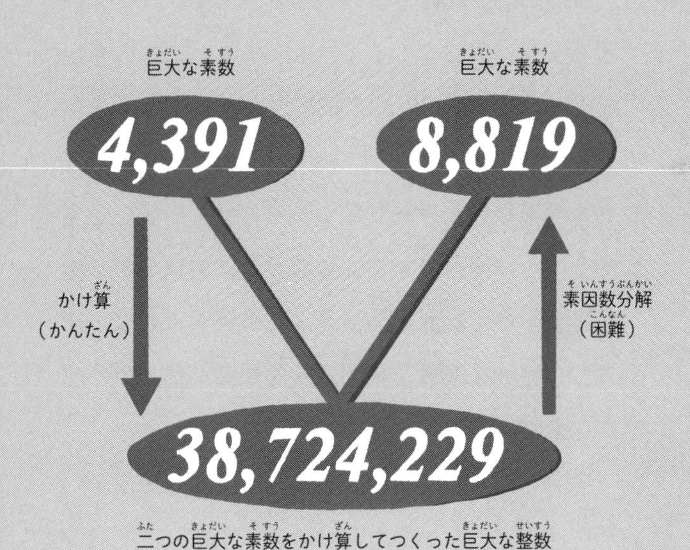

二つの巨大な素数に素因数分解するのは困難

RSA暗号の鍵とは，たとえば38,724,229のような整数です。この整数がどんな素数をかけ算してつくられたものなのか，わかるでしょうか。

38,724,229は，4,391と8,819という二つの素数をかけ算してつくったものです。二つの素数をかけ算して，38,724,229という鍵をつくることは簡単です。しかし38,724,229という鍵が，どんな素数をかけ算してつくられたものなのかを知ることは困難です。**二つの巨大な素数をかけ算してつくった巨大な整数を，何のヒントもなしに二つの巨大な素数に素因数分解するには，たいへんな量の計算が必要になるからです。**

RSA暗号は，この性質を利用した暗号です。

memo

15 ネットショッピングには素数が不可欠

カード番号は，暗号化されてから送信される

ここからは，素数を使うRSA暗号のしくみをみていきましょう。

たとえば，インターネットを利用した通信販売では，利用者がクレジットカードの番号を入力することがあります。**このカード番号は，利用者のコンピューターの中で，RSA暗号によって暗号化されてから送信されます。**

素数のおかげで，安心してクレジットカードを利用できるのだ。

「公開鍵」で，カード番号を暗号化する

カード番号を暗号化する際に使われるのが，通信販売店のコンピューターからだれでも入手できる，「公開鍵」です。**公開鍵は二つの整数でできており，二つの整数の一方が，「二つの巨大な素数をかけ算してつくった巨大な整数」です。**

70～71ページのイラストでは，公開鍵は「3」と「115」の二つの整数でできており，「115」が二つの素数をかけ算してつくった整数です。カード番号の「13」は，公開鍵の「3」と「115」を使って暗号の「12」に変えられて，通信販売店に送信されます。

通信販売店が暗号をカード番号にもどす方法は，72～73ページで紹介します。

15 カード番号を暗号化して送信

通信販売店の利用者は,「公開鍵」を使ってクレジットカード番号を暗号にして，送信します（1～2）。

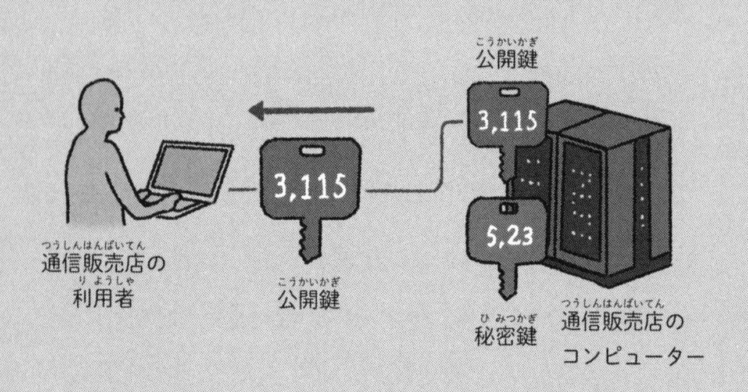

1. 利用者が,「公開鍵」を手に入れる

通信販売店の利用者は，店のコンピューターから公開鍵を手に入れます。公開鍵は，m（ここでは3）とn（ここでは115）の二つの整数でできています。店のコンピューターには，公開鍵のほかに，公開されることのない「秘密鍵」があります。秘密鍵は，p（ここでは5）とq（ここでは23）の二つの，本来使う際には巨大になるように選ばれた素数でできています。公開鍵のn（115）と，秘密鍵のp（5）とq（23）の間には，「pとqの積がn」という関係があります。

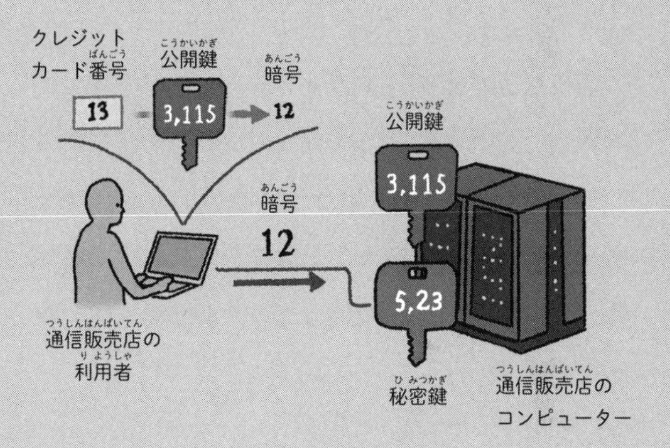

2. 公開鍵を使って，カード番号を「暗号」にする

店の利用者は自分のコンピューターの中で，手に入れた公開鍵を使って，クレジットカード番号を「暗号」に変えます。カード番号G(13)を，m乗(3乗)してn(115)で割ったときの余りが，暗号X(12)です。暗号は，店のコンピューターに向けて，送信されます。

16 暗号は，通信販売店でカード番号にもどされる

「秘密鍵」で，暗号をカード番号にもどす

通信販売店が暗号をカード番号にもどす際に使うのが，店のコンピューターに保管されている「秘密鍵」です。**秘密鍵は二つの巨大な素数でできており，二つの巨大な素数をかけ算してつくった巨大な整数が，公開鍵の二つの整数の一方になっています。**

現在のRSA暗号の鍵として使われている600けた程度の整数を，素数1個ずつすべて使って割り算をして，余り（暗号）が出るかどうかを確認するには，スーパーコンピューターを使ったとしても，10^{273}年もかかるとみられるそうなんだメー。

素数が，私たちの生活を支えている

74～75ページのイラストでは，秘密鍵は「5」と「23」の二つの素数でできており，「5」と「23」をかけ算してつくった整数の「115」が，公開鍵の二つの整数の一方です。暗号の「12」は，秘密鍵の「5」と「23」を使ってカード番号の「13」にもどされます。

素数を使った暗号は，インターネットだけではなく，テレビの有料放送や，国家の機密情報の通信などにも使われているといいます。素数が見えないところで，私たちの生活を支えているのです。

16 暗号をカード番号にもどす

第三者が,「公開鍵」を使って暗号をクレジットカード暗号にもどすことは事実上不可能です(3)。暗号を受信した通信販売店は,「秘密鍵」を使って暗号をカード番号にもどします(4)。

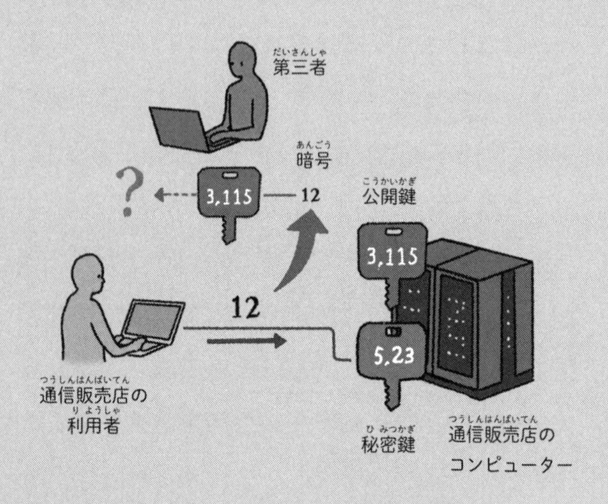

3. 暗号を,公開鍵でカード番号にもどすことは事実上不可能

暗号は送信中に,悪意をもった第三者に奪われてしまうかもしれません。しかし暗号を,第三者が公開鍵を使ってカード番号にもどすことは困難です。m乗(3乗)してn(115)で割ったときの余りが暗号X(12)になる数(カード番号G)を,一つずつ数を試しながら探す以外知られていないからです。

注：秘密鍵は通常，あらかじめ計算しておいたD(59)を指しますが，ここでは二つの巨大な素数pとqの役割をわかりやすくするために，秘密鍵はp(5)とq(23)としています。

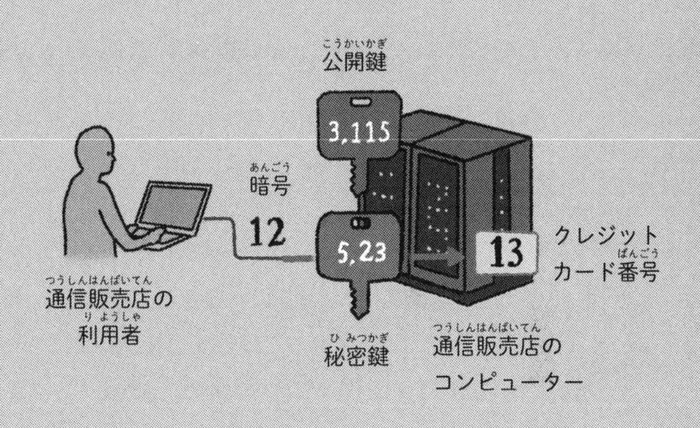

4. 暗号は，「秘密鍵」でカード番号にもどされる

暗号は店のコンピューターに届くと，「秘密鍵」を使ってカード番号にもどされます。秘密鍵p(5)とq(23)を使えば，カード番号G(13)を求めることができます。以下はその計算方法です。「$p-1$」(4)と「$q-1$」(22)の積S(88)を求めます。公開鍵のm(3)をかけてS(88)で割ると余りが1になる数D(59)を，「ユークリッド互除法」とよばれる方法で計算します。すると，暗号X(12)をD乗(59乗)して公開鍵のn(115)で割った余りが，カード番号G(13)になります。

ネットショッピングは，ほんとに安全？

高校生の渡部くんと上田くんは，学校が休みの日，街へ買い物に出かけました。

渡部：そのTシャツいいね。どこで買ったの？

上田：ネットショップでみつけたんだ。親にたのんで，クレジットカードで払ってもらっちゃった。

渡部：インターネットでの買い物って便利だけど，カード払いはほんとうに安全なのかな。うちの親も，ネットショップでクレジットカードを使ってるけど。

Q

公開鍵の数が，5609だとわかっています。5609は，秘密鍵の二つの素数をかけ算した数です。秘密鍵の二つの素数を求めてみましょう。

上田：暗号化されてるから大丈夫だって聞いたことあるよ。でも解読されないのか，たしかに心配だな。

渡部：秘密鍵っていうのがわかっちゃえば解読できるらしいぞ。

上田：ああ，秘密鍵はかくされているけど，公開されてる公開鍵は，秘密鍵の二つの素数をかけ算した数なんだよな。公開鍵から秘密鍵が求められるか，試しにやってみようよ。よし，俺が問題を出すぞ。

あまり近い素数を選んではいけない

秘密鍵は，71 と 79

5609 を，素数で順番に割っていきましょう。2，3，5，7，11，13，…，と割っていくと，ようやく 71 で割ったときに，79 で割り切れることがわかります。

上田：どうだい？　秘密鍵はわかったかな？

渡部：ふぅ。これ，みつかるまで一つずつ順番に素数で割り算していかなきゃいけないのか。いやになってきた。

上田：問題を出す方は，素数を二つ選んでかけ算するだけだから，楽なもんだ。

秘密鍵の二つの素数を求めるには，公開鍵の数を地道に素因数分解するしかありません。ここでは公開鍵を 4 けたの数としました。しかしけた数が多くなると，たとえコンピューターを使っても，計算が膨大すぎて秘密鍵を求めることが事実上不可能となります。

渡部：やっと解けた。思った以上にたいへんだった。

上田：けた数が多くなれば安全というのも，納得だな。
じゃあ，買い物行くか。

渡部：あれ，あそこの店にお前のTシャツが売ってるぞ。

将来，コンピューターの計算能力がとんでもなく上がると，暗号が安全ではなくなるかもしれないな。

本を愛したエラトステネス

紀元前275年、エラトステネスは現在のリビアで誕生。ギリシア文化が花開いた「ヘレニズム時代」のギリシア人

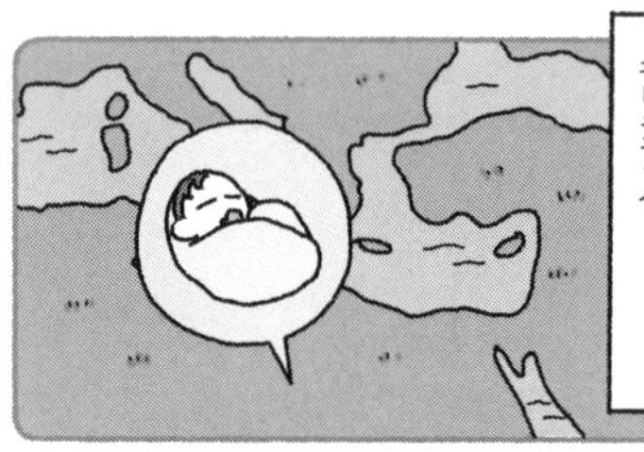

当時の先端都市アレキサンドリアで学び若いアルキメデスとも交流があった

39歳のときアレキサンドリア図書館の館長に就任

数学や天文学だけでなく詩学や哲学などの分野でも活躍した知の巨人

81歳のときに目が不自由になり翌年亡くなった

食を絶って自殺したといわれている。本が読めないことに絶望したのだろうか

地球の大きさを知る

エラトステネスは35歳ぐらいのときに地球の全周を計算したとされる

地球の全周を知る方法はないか?

これだ!

彼はシエネという町では夏至の日の正午井戸に太陽が真上から差しこむことを知った

同じく夏至の日の正午真北に925キロメートルはなれたアレキサンドリアでは

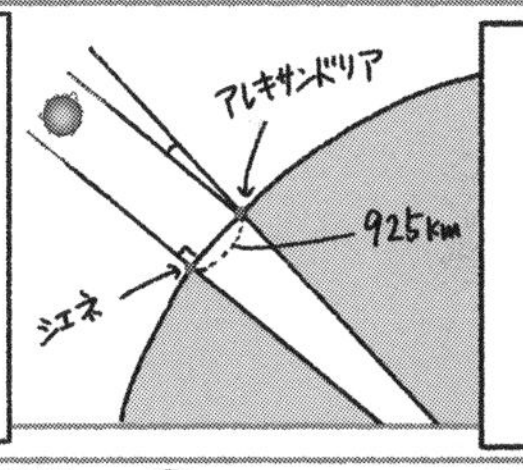

太陽の高さは360度の50分の1ほど低かった。これによって地球の全周を計算

計算の結果
4万6250キロ!
(実際は約4万キロ)
けっこういい線いっているでしょ?

計算された地球の全周は正解に近かった。20~22ページで紹介した「エラトステネスの篩」を考案したのも功績の一つである

第2章

ルートと無理数

無理数とは，小数点以下が循環せずに無限につづく数のことです。よく知られた無理数には，1.41421… とつづく$\sqrt{2}$ や，3.14159…とつづく円周率 π があります。第2章では，無理数のおどろきの姿をみていきましょう。

1 数には，有理数と無理数がある

有理数は，分母と分子が整数の分数になる数

数は，「有理数」と「無理数」からなります。

有理数とは，分母と分子が整数の分数※であらわせる数のことです。有理数は英語で，「rational number」といいます。rationalとは「比になる，分数になる」という意味です。

有理数には，整数，小数点以下が有限の数，そして小数点以下が循環しながら（同じ数字の配列をくりかえしながら）無限につづく数があります。

※：数学では，ゼロで割ることは禁止されているため，分母はゼロ以外の整数です。

1 有理数と無理数

数には，有理数と無理数があります。無理数は，小数点以下が循環せずに無限につづきます。イラストの数字の列は，実際の$\sqrt{2}$の冒頭の値を使って，$\sqrt{2}$の形をえがいたものです。

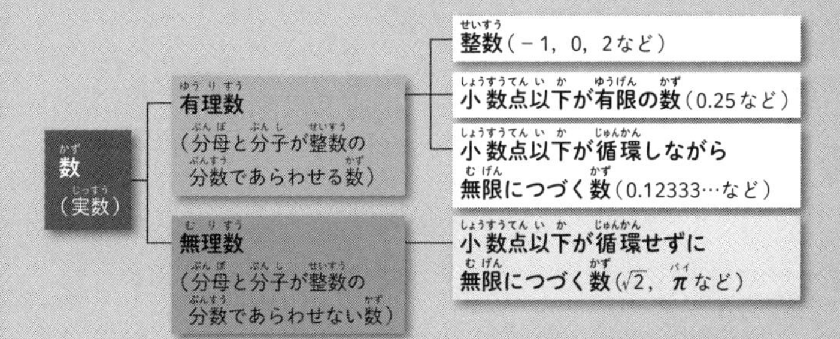

1.4142135623730950488016887242096980

無理数は，分母と分子が整数の分数にならない数

一方，無理数とは，分母と分子が整数の分数であらわせない数のことです。

無理数は，小数点以下が循環せずに無限につづきます。たとえば，2の正の平方根（2乗すると元の数になる数）である$\sqrt{2}$を，小数であらわすと，1.41421356…と小数点以下が循環せずに無限につづく数になります。つまり$\sqrt{2}$は，無理数です。

無理数は英語で，「irrational number」というぞ。irrationalとは，「比にならない（分数にならない）」という意味なのだ。整数にならない平方根は，すべて無理数なのだよ。

2　0.999999…は，1である

0.333…は，$\frac{1}{3}$とあらわせる

1を3で割ると，「0.333…」となります。0.333…は，小数点以下が循環しながら無限につづく，循環する無限小数です。**循環する無限小数は，分数であらわせる有理数であり，0.333…は$\frac{1}{3}$とあらわすことができます。**

行きつく先が$\frac{1}{3}$になる

しかしあらためて考えなおしてみると，0.333…を$\frac{1}{3}$とあらわせるのは，なぜなのでしょうか。$\frac{1}{3}$は，1を3等分したものであるはずです。0.333…は，1を3等分したものだといえるのでしょうか。また，もし「0.333…＝$\frac{1}{3}$」であるならば，両辺を3倍すると「0.999…＝1」となります。

これは，正しいのでしょうか。

実は，0.333…＝$\frac{1}{3}$という式は，「0.333…の小数点以下のけた数を無限にふやしていくと，行きつく先が$\frac{1}{3}$になる」ということを意味しています※。このため，0.333…＝$\frac{1}{3}$であり，0.999…＝1なのです。

※：0.333…＝$\frac{1}{3}$という式は，以下のように書き変えることができます。

$$\lim_{n\to\infty}\{0.3+0.03+0.003+\cdots+0.3\times(0.1)^{n-2}+0.3\times(0.1)^{n-1}\}=\frac{1}{3}$$

$\lim_{n\to\infty}$は，nが無限大（∞）に限りなく近づくときの，式の極限値を計算する記号です。「リミットn無限大」などと読みます。

もし，0.333･･･の小数点以下のけた数が有限のけた数で終わると，0.333･･･＝$\frac{1}{3}$という式は，その時点でなりたたなくなるんだメー。0.333･･･の小数点以下には，3が無限につづいているんだメー。

2 0.999…＝1

大きさ「1」のケーキ(1)を3等分にカットすると，それぞれのカットケーキの大きさは「0.333…」となります(2)。三つのカットケーキを一つにして盛りつけると，合計で「0.999…」となります(3)。ケーキは，小さくなってしまったのでしょうか。実はそうではありません。「0.999…＝1」です。

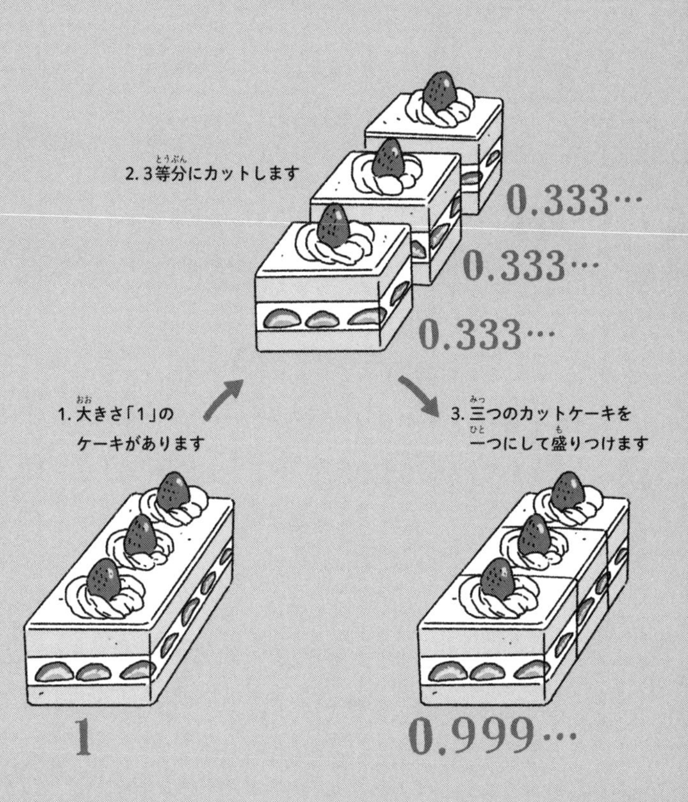
2. 3等分にカットします
0.333…
0.333…
0.333…
1. 大きさ「1」の
ケーキがあります
3. 三つのカットケーキを
一つにして盛りつけます
1
0.999…

0.333…は，$\frac{1}{3}$なの？

博士，0.333… = $\frac{1}{3}$ というのが納得できません。

ふむ。「…」の部分は，小数点以下に3が無限につづくことをあらわしておるぞ。

それはわかるんです。だけど3をいくら並べたところで，$\frac{1}{3}$ には少しだけ届かないような気がするんです。

そうじゃの。無限につづく小数を最後まで思い浮かべることは，誰にもできんからのう。

そうなんです。

0.333…は，「極限値」というものをあらわしておる。小数点以下に3をつづけていくと，だんだんある値に近づいていくじゃろ。極限

値とは，それを無限につづけたときに近づいていく値のことじゃ。つまり0.333… = $\frac{1}{3}$ という式は，「小数点以下に3を無限につづけたときに近づいていく値は，$\frac{1}{3}$ である」という意味じゃな。

ああ，それならなんとなく納得できる気がします。

3 無限に循環する小数は，すべて分数になる

循環する無限小数を，分数にする方法

小数点以下が循環しながら無限につづく，循環する無限小数0.333…は，$\frac{1}{3}$という分数であらわせます。では，ほかの循環する無限小数はどうでしょうか。

このページでは，自分の好きな数字がくりかえす循環する無限小数を，分数にする方法を伝授しましょう。

整数は，分母を１とする分数としてあらわせるので，簡単だよ。たとえば，2は$\frac{2}{1}$，0は$\frac{0}{1}$とあらわせるね。

ポイントは，小数点以下を消すこと

たとえば，0.252525…と，小数点以下に「25」がくりかえす循環する無限小数xを分数にするとします。小数xを100倍すると，小数点以下の部分が元の小数と同じになります。この$100x$から元の小数xを引き算すると，小数点以下の部分がうまく消えて，「$99x = 25$」となります。そしてこの式は，$x = \frac{25}{99}$と解けます。以上のようにすれば，循環する無限小数0.252525…を，$\frac{25}{99}$という分数であらわすことができるのです。

この方法のポイントは，小数に10の累乗をかけ算してから元の小数を引き算して，小数点以下を消すことにあります。ぜひ試してみてください。

3 循環が長くても分数にできる

0.123456789012345678901234567890…を，分数であらわす方法を示しました。循環する無限小数は，どんな数でも，分数にできます。

0.12345678901234567890123456789O…を分数にする方法

x = 0.123456789012345678901234567890…とします。

xを10000000000倍（10^{10}倍）します。
倍数を10000000000にする理由は，小数点以下を元の小数と同じにするためです。
$10000000000x = 1234567890.12345678901234567890\cdots$

$10000000000x$からxを引き算します。

$$\begin{aligned}10000000000x - x &= 1234567890.12345678901234567890\cdots \\ &\quad - 0.123456789012345678901234567890\cdots \\ 9999999999x &= 1234567890\end{aligned}$$

したがって

$$x = \frac{1234567890}{9999999999} = \frac{137174210}{1111111111}$$

$$0.123456789012345678901234567890\cdots = \frac{137174210}{1111111111}$$

4 ピタゴラスが，無理数の存在をもみ消した説

あらゆるものの比は，自然数の比になると信じた

ピタゴラスの定理（三平方の定理）で有名な古代ギリシアの数学者のピタゴラス（紀元前570年ごろ～紀元前496年ごろ）は，あらゆるものの比は，自然数（正の整数）の比であらわせると信じていた，とされています。このためピタゴラスは，みずから創設したといわれる「ピタゴラス教団」で，自然数を神聖な存在としていました。

注：ピタゴラスの定理が，ピタゴラスによって発見されたのかどうかは，わかっていません。ピタゴラスの成果とされるものは，正確にはピタゴラス教団の成果というのが正しいようです。

4 正方形の対角線

一辺の長さが1の正方形は，対角線の長さが$\sqrt{2}$になります。$\sqrt{2}$は無理数であるため，正方形の一辺の長さと対角線の長さは，自然数の比にはなりません。

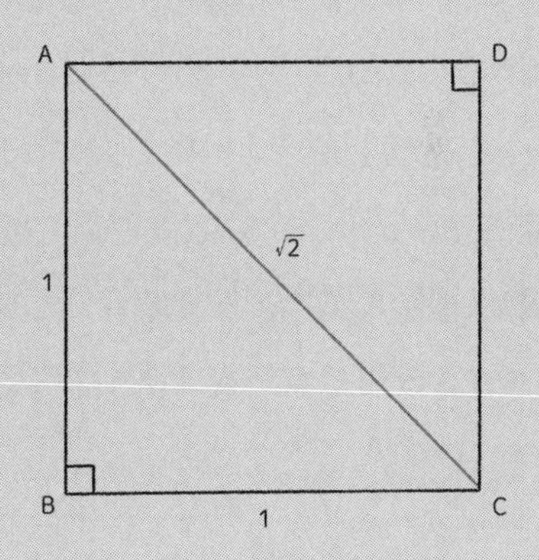

ピタゴラス
（紀元前570年ごろ～紀元前496年ごろ）

一辺の長さが1の正方形ABCDに，対角線ACを引きます。
三角形ABCは，直角二等辺三角形になります。

「ピタゴラスの定理」から

$$(AC)^2 = (AB)^2 + (BC)^2$$
$$(AC)^2 = (1)^2 + (1)^2$$
$$(AC)^2 = 2$$

したがって，

$$AC = \sqrt{2}$$

正方形の一辺と対角線は，自然数の比にならない

ところがピタゴラスの考えに反して，自然数の比にならないものがみつかってしまいました。一辺の長さが「1」の正方形の対角線の長さは，ピタゴラスの定理を使うと，「$\sqrt{2}$」と求められます。**$\sqrt{2}$は，分母と分子が整数の分数であらわせない無理数です。このため正方形の一辺の長さと対角線の長さの比は，自然数の比にならないのです※。**

ピタゴラスは，正方形の一辺と対角線が自然数の比にならないことを明らかにした人を教団から追放し，その人の墓をたてて死んだことにして，真実をもみ消したという伝説があります。

※：一辺の長さが「1」の正方形の対角線の長さを，「$\frac{7}{5}$」などの分数であらわすことができれば，正方形の一辺の長さと対角線の長さの比は「$1:\frac{7}{5}$」すなわち「5：7」となり，自然数の比になります。

5 根号は，筆算ではずすことができる

割り算の筆算と似た「開平法」

$\sqrt{2}$を根号（$\sqrt{\ }$）を使わないであらわすと，小数点以下が循環せずに無限につづく数になります。この数の冒頭部分を，「ひとよひとよにひとみごろ…」(1.41421356…) の語呂あわせで暗記したという人も，多いのではないでしょうか。

実は根号は，「開平法」とよばれる方法を使って，筆算ではずすことができます。 開平法は，割り算の筆算に似ています。割り算の筆算とことなるのは，割る数がどんどん大きくなることと，割られる数を二けたずつ下へおろす点です。

$\sqrt{2}$の根号を，開平法ではずしてみよう

左ページと右ページ上のイラストは，$\sqrt{60516}$の根号を，開平法ではずす方法です。開平法とはどのようなものか，ご覧ください。右ページ下のイラストは，$\sqrt{2}$の根号を，開平法ではずす穴埋めパズルです。ぜひ挑戦してみてください。**ただし，$\sqrt{2}$の根号をはずすと，小数点以下が循環せずに無限につづく数になるため，計算は最後まではできません。**

［答（$\sqrt{2}$の根号をはずした数）は，84～86ページ参照］

5 開平法

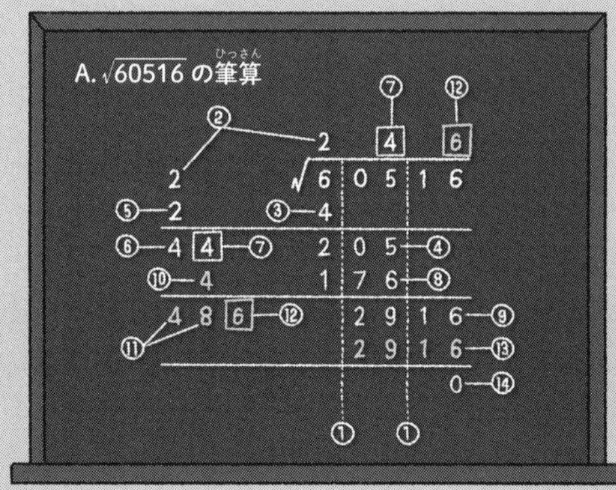

①小数点を基準に2けたずつ点線で区切る

②2乗すると6に最も近くなる数（ただし2乗しても6をこえない数）を書く→2

③$2 \times 2 = 4$

④$6 - 4 = 2$，「05」を下へおろす→205

⑤上と同じ数を書く→2

⑥$2 + 2 = 4$

⑦4□×□の値が，205に最も近くなるように（ただし205をこえないように），□の中に同じ数を書く→4

⑧$44 \times 4 = 176$

⑨$205 - 176 = 29$，「16」を下へおろす→2916

⑩上と同じ数を書く→4

⑪$44 + 4 = 48$

⑫48□×□の値が，2916に最も近くなるように（ただし2916をこえないように），□の中に同じ数を書く→6

⑬$486 \times 6 = 2916$

⑭$2916 - 2916 = 0$→ $\sqrt{60516} = 246$

60516の正の平方根は246

B. $\sqrt{2}$の筆算

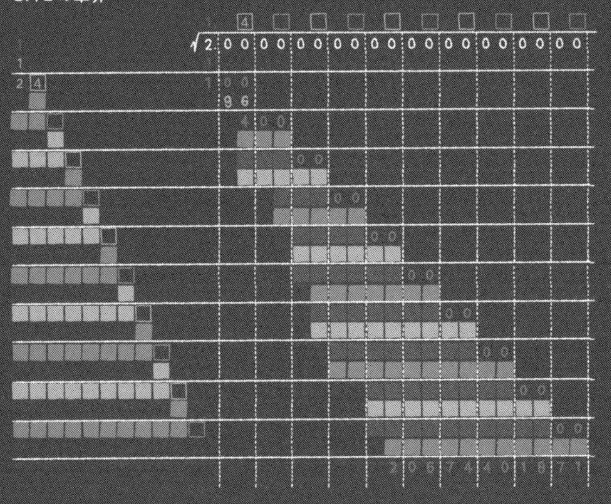

6 A4やA3などの紙の大きさは，$\sqrt{2}$で決まっている

A4をA3に拡大するとき，辺の長さは$\sqrt{2}$倍

平方根は，何の役に立っているのでしょうか。たとえばコピー機で拡大コピーをとるとき，私たちは平方根を利用しています。A4の原稿を，面積が2倍の大きさのA3用紙に拡大コピーするとき，コピー機の液晶パネルに表示される倍率は，「141％」となっているはずです。**これは，長方形の面積を2倍にする場合，一辺の長さを$\sqrt{2}$倍（約1.41倍）にすればいいことを意味しています。一辺の長さを$\sqrt{2}$倍にすれば，面積は$\sqrt{2}$倍×$\sqrt{2}$倍で，2倍の大きさになるのです。**

6 A4用紙とA3用紙の関係

A4用紙は，A3用紙を半分に切り分けたものです。A4用紙とA3用紙は相似形になっていて，A3用紙の面積はA4用紙の2倍の大きさがあります。

A4用紙

面積＝62.370mm²

縦＝210mm

横＝297mm

A3用紙

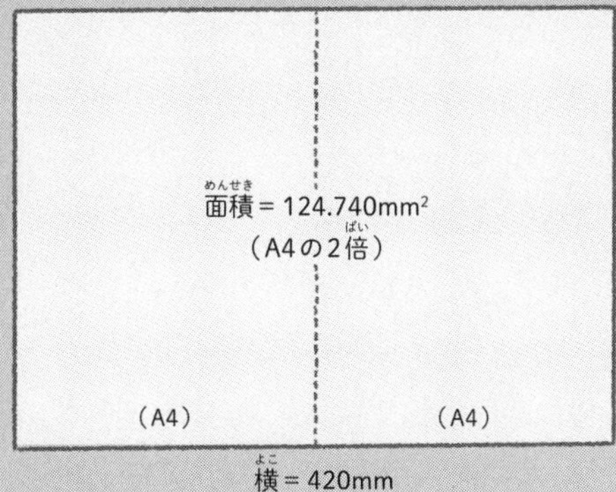

A判もB判も，縦横比は$1:\sqrt{2}$

日本で使われる用紙のうち，A判の用紙はA0用紙を次々と半分に切り分けたもの，B判の用紙はB0用紙を次々と半分に切り分けたものです。実はA判の用紙もB判の用紙も，すべて縦横比が「$1:\sqrt{2}$」の相似形になっています。**これは，縦横比が$1:\sqrt{2}$の用紙を半分に切ると，半分に切り分けた用紙の縦横比もかならず$1:\sqrt{2}$になるためです**※。A0用紙とB0用紙の縦横比を$1:\sqrt{2}$にしておくことで，同じ縦横比の用紙を効率よくつくれるようにしているのです。

※：縦横比が$1:\sqrt{2}$の用紙を半分に切ると，半分に切り分けた用紙の縦横比は$\frac{\sqrt{2}}{2}:1$です。
$\frac{\sqrt{2}}{2}:1$の両辺に$\sqrt{2}$をかけると，$\frac{\sqrt{2}}{2}\times\sqrt{2}:1\times\sqrt{2}=1:\sqrt{2}$となります。

7 カメラのレンズにも，$\sqrt{2}$が利用されている

絞りの目盛りは，$\sqrt{2}$倍きざみ

平方根を利用している身近な例を，もう一つ紹介しましょう。

カメラのレンズについている，「絞り」とよばれる装置にも，平方根が使われています。絞りは，カメラの本体に入る光の量を調節する装置です。**この絞りの目盛りは，0.7，1.0，1.4，2，2.8，4，5.6，8，…，というように，1を基準にした$\sqrt{2}$倍きざみになっています。**

絞りの最小値と最大値は，カメラのレンズごとにことなるぞ。絞りの最小値は，絞りを全開にしたときの値で，レンズの焦点距離をレンズの直径で割った値なのだよ。

目盛りが1段階大きくなると，光は50％になる

たとえば絞り1.4は，絞り1.0の50％の光が本体に入る設定です。絞り1.4では，光が通過する穴の半径が絞り1.0の$\frac{1}{\sqrt{2}}$倍（約$\frac{1}{1.4}$倍）になります。すると穴の面積が$\frac{1}{\sqrt{2}}$倍×$\frac{1}{\sqrt{2}}$倍で$\frac{1}{2}$倍となり，本体に入る光の量が50％に調節されます。

このようにカメラの絞りは，目盛りを1段階大きくするごとに，本体に入る光の量を50％ずつ減らすのです。

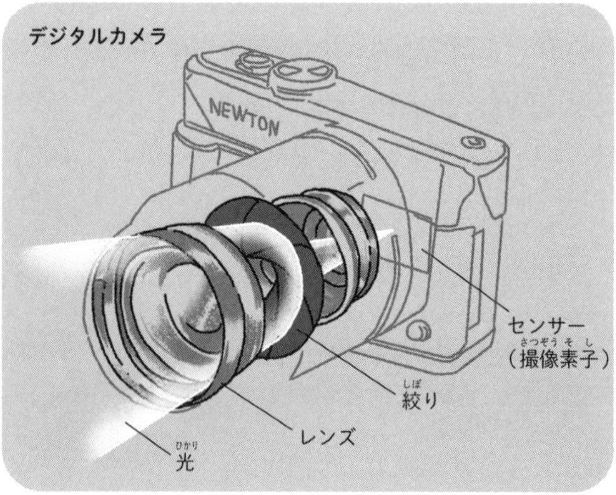

デジタルカメラ
NEWTON
センサー（撮像素子）
絞り
レンズ
光

7 カメラの絞り

カメラの絞りは，カメラの本体に入る光の量を調節する装置です。イラスト下端の各絞りの穴の半径と穴の面積は，絞り1.0の場合の何倍になっているかをあらわしています。

絞り1.0

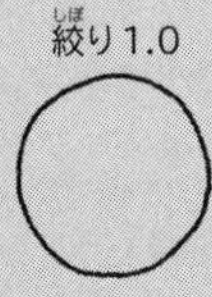

穴の半径＝1

穴の面積＝1

絞り1.4

穴の半径＝$\frac{1}{\sqrt{2}}$倍

＝約$\frac{1}{1.4}$倍

穴の面積＝$\frac{1}{2}$倍

絞り2

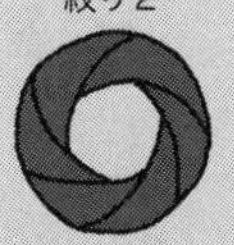

穴の半径＝$\frac{1}{\sqrt{4}}$倍

＝約$\frac{1}{2}$倍

穴の面積＝$\frac{1}{4}$倍

絞り2.8

穴の半径＝$\frac{1}{\sqrt{8}}$倍

＝約$\frac{1}{2.8}$倍

穴の面積＝$\frac{1}{8}$倍

絞り4

穴の半径＝$\frac{1}{\sqrt{16}}$倍

＝$\frac{1}{4}$倍

穴の面積＝$\frac{1}{16}$倍

絞り5.6

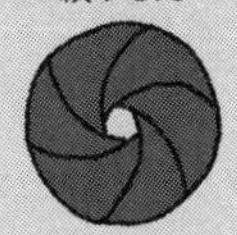

穴の半径＝$\frac{1}{\sqrt{32}}$倍

＝約$\frac{1}{5.6}$倍

穴の面積＝$\frac{1}{32}$倍

8 πはつづくよ どこまでも

3.14という値は，πの近似値

円周率πも，分母と分子が整数の分数であらわすことのできない，無理数です。無理数は，小数点以下が循環せずに無限につづく数です。**したがって，小学校で習った「3.14」というπの値は，πの近似値です。そして小数点以下のけた数をどんなに多く正確に計算したとしても，その値は近似値でしかありません。**

ちなみに，紀元前2000年ごろのバビロニア人は，円周率の値を「3」または「3と$\frac{1}{8}$（3.125）」と考えていたようだメー。

8 円周率 π

イラストの数字の列は，実際の π の冒頭の値を使って，球や円をえがいたものです。π が無理数であることは，ドイツの数学者のヨハン・ランベルト（1728～1777）が，1761年にはじめて証明しました。

ヨハン・ランベルト
（1728～1777）

注：このページの π の値は，2016年11月にの π の値を22兆4591億5771万8361けたまで計算することに成功した，スイスの素粒子物理学者のペーター・トリューブ氏のウェブサイトに公開されている値を使用しました。（ペーター・トリューブ氏のウェブサイト：http://pi2e.ch/blog/）

πの値は，小数点以下105兆けたまで計算された

πは現在，近似値を精度よく計算できる数式を複数使って，コンピューターで計算されています。**2024年3月には，πの値が，小数点以下105兆けたまで計算されたようです。**

現在のπの計算は，必ずしもπの値を計算するためだけに行われているのではありません。コンピューターにπを計算させることで，コンピューターの演算装置やシステムが正常かどうかを，確認する目的があります。πが無理数であることが，意外なことに，コンピューターの開発にも役立っているのです。

memo

πの語呂合わせ

規則性のない数字がつづくπをどこまで覚えられるか，挑戦した人もいるのではないでしょうか。日本には，なんと11万けたも覚えたという人がいます。πの数字と日本語の文字を独自の語呂合わせで対応させ，物語をつくって覚えたそうです。

πの有名な語呂合わせとしては，「産医師異国に向こう（3.14159265）」ではじまるものがあります。その後は，「産後厄無く（358979）産婦御社に（3238462）虫さんざん闇に鳴く（643383279）」とつづきます。これで，小数点以下30けたとなります。

英語の場合は，πの数字と英単語のアルファベットの数を対応させて覚えます。たとえば，“Can I find a trick recalling pi easily ?”（πを簡単に思い出すコツはありますか？）が有名です。ほかにも，“How I want a drink, alcoholic of course, after the heavy lectures involving quantum mechanics !”（量子力学を使うヘビーな講義の後にはもちろん一杯飲みたいよ！）などがあります。

9 $\sqrt{2}$は，無限に連なる分数であらわせる

「連分数」なら，$\sqrt{2}$をあらわすことができる

分数の分母の中にさらに分数が含まれているような分数のことを，「連分数」といいます。

連分数のなかには，分母の分数の部分が無限につづくようなものもあります。右ページの式は，$\sqrt{2}$を無限につづく連分数であらわしたものです。

$\sqrt{2}$は，分母と分子が整数の分数であらわすことのできない，無理数です。しかし無限につづく連分数なら，$\sqrt{2}$をあらわすことができるのです。

9 連分数であらわした√2

無限につづく連分数であらわした√2です。イラストでは，連分数が無限につづいていることのイメージを，右下に向けて細くなっていく枠で示しました。

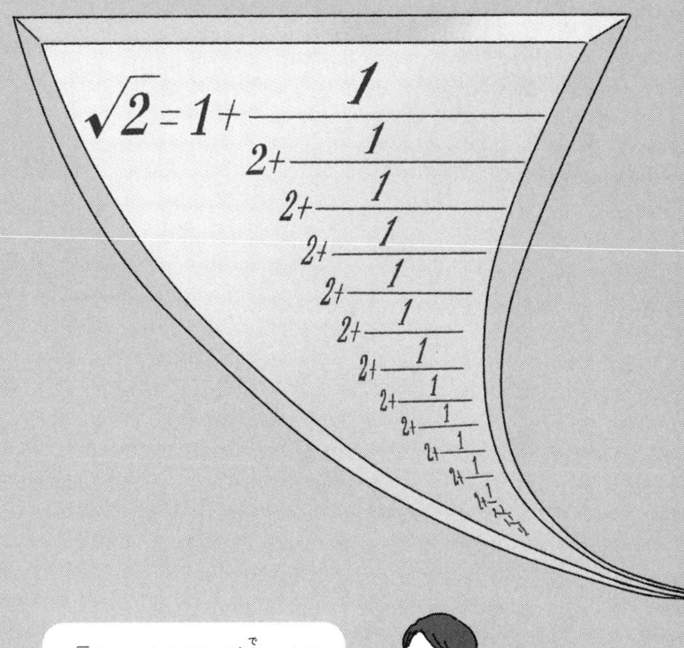

$\sqrt{2}=1+\cfrac{1}{2+\cfrac{1}{2+\cfrac{1}{2+\cfrac{1}{2+\cfrac{1}{2+\cfrac{1}{2+\cfrac{1}{2+\cfrac{1}{2+\cfrac{1}{2+\cfrac{1}{2+\cfrac{1}{2+\cdots}}}}}}}}}}}$

√2を，1と2だけが出てくる分数であらわすことができるなんて，ふしぎだね。

$\sqrt{2}$を，1と2だけであらわせる

$\sqrt{2}$を，小数を使ってあらわそうとすると，1.41421356…と規則性のない数字が果てしなくつづきます。**しかし，$\sqrt{2}$を連分数であらわすと，1と2という非常に単純な整数だけであらわすことができます。**このようなシンプルな規則性に，美しさを感じる人もいるようです。

$\sqrt{2}$のように，まったく同じ構造を無限にくりかえすような連分数のことを「循環連分数」というんだメー。

10 π も無限の分数で あらわせる

無限につづく連分数で表現できる数は無数にある

無限につづく規則的な連分数で表現できる数は，$\sqrt{2}$ のほかにも無数にあります。**たとえば円周率 π や，ネイピア数 e※といった特別な数も，規則的な連分数であらわすことができます。**

π を連分数であらわした場合，分母には奇数が順番にあらわれ，分子には自然数の2乗が順番にあらわれます。e の場合は，二つ目の分母から，偶数が二つおきにあらわれます。

※：ネイピア数 e は，$\left(1+\frac{1}{n}\right)^n$ の n を，無限に大きくしたときの数です。$e = 2.718281\cdots$ です。数学では非常に特別な値で，よく登場します。

有理数を連分数であらわすと，有限の連分数となる

π も e も，小数を使ってあらわそうとすると，規則性のない数字が果てしなくつづきます。それにもかかわらず，連分数であらわしたときには，一目見ただけでわかる美しい規則性があらわれます。連分数の奥深さを実感できるのではないでしょうか。

なお，無理数を連分数であらわすと，分数の部分が無限につづきます。一方，有理数を，分子が1，分母が整数の連分数であらわすと，かならず有限の連分数となります。逆に，整数だけを使った有限の連分数があらわす数は，必ず有理数になります。

無理数は，連分数を使っても，無限に続けないとあらわせないのだよ。

10 連分数であらわした π と e

無限につづく連分数であらわした，π と e です。どちらの連分数にも，シンプルな規則性がみられます。

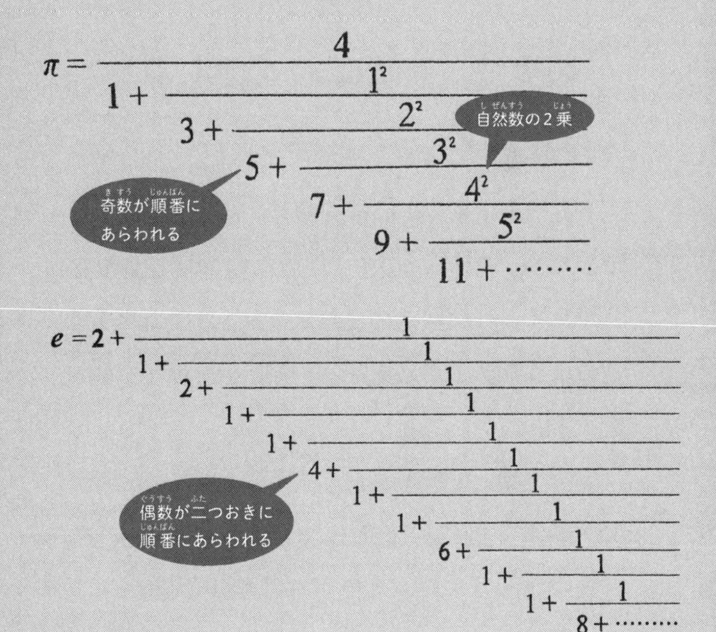
自然数の2乗
奇数が順番にあらわれる
偶数が二つおきに順番にあらわれる

$$\pi = \cfrac{4}{1+\cfrac{1^2}{3+\cfrac{2^2}{5+\cfrac{3^2}{7+\cfrac{4^2}{9+\cfrac{5^2}{11+\cdots\cdots}}}}}}$$

$$e = 2+\cfrac{1}{1+\cfrac{1}{2+\cfrac{1}{1+\cfrac{1}{1+\cfrac{1}{4+\cfrac{1}{1+\cfrac{1}{1+\cfrac{1}{6+\cfrac{1}{1+\cfrac{1}{1+\cfrac{1}{8+\cdots\cdots}}}}}}}}}}}$$

11 数を，無限につづく√ であらわす

√ の中で，無限に√ の足し算をくりかえす

平方根を2乗すると，√（根号）をはずすことができます。では，√の中で無限に√の足し算をくりかえすような数式の値はどうなるでしょうか。このような数式のことを，「無限多重根号」といいます。

実は，2以上の整数は，右ページに示したように，無限多重根号であらわすことができます。 一見複雑そうにみえる無限多重根号の答が，非常に単純な値になるのです。

11 無限多重根号

イラストでは，さまざまな数を無限多重根号であらわしています。私たちのよく知っている数に，美しい秩序がかくされていることを実感できるのではないでしょうか。

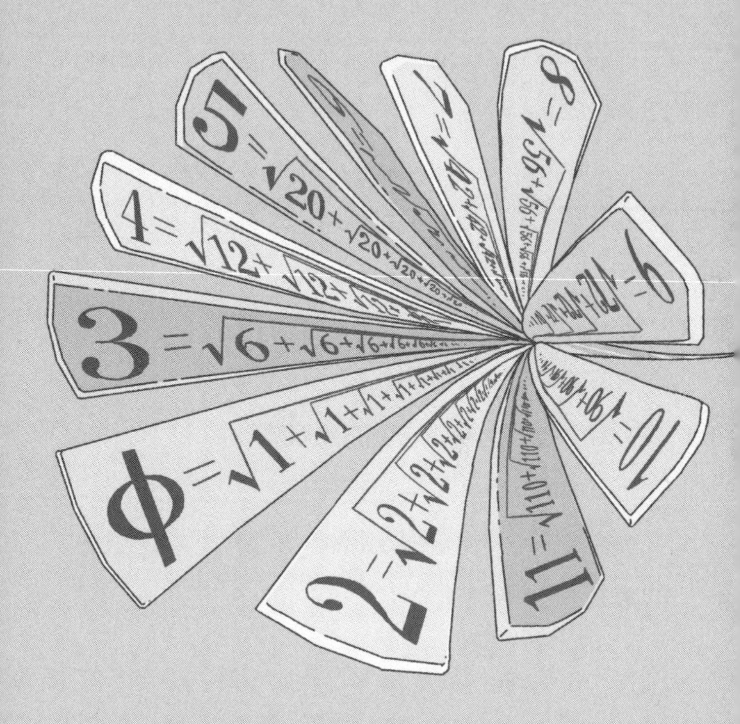

注：黄金数 ϕ は，線分を二つに分け，短い部分と長い部分の長さの比が，長い部分と全体の長さの比と同じになるようにしたときの比の値です。$\phi = 1.618\cdots$ です。

好きな数を無限多重根号の形であらわせる

たとえば，2が無限多重根号で

$$2=\sqrt{a+\sqrt{a+\sqrt{a+\cdots}}}\quad（式①）$$

とあらわせるとします（aは正の数）。この両辺を2乗すると，

$$2^2=a+\sqrt{a+\sqrt{a+\sqrt{a+\cdots}}}\quad（式②）$$

となります。式②の右辺の根号の部分を式①で置きかえると，式②は$2^2=a+2$，つまり$a=2^2-2=2$となります。$a=2$を式①に入れると，2の無限多重根号の形ができあがります。

2以上の整数nを無限多重根号

$$n=\sqrt{a+\sqrt{a+\sqrt{a+\cdots}}}$$

の形であらわす場合のaの値は，$n(n-1)$で求めることができます。

memo

整数を，無限の$\sqrt{\ }$であらわそう

渡部くんと上田くんは，数学の時間に聞いた無限多重根号の話に興味をもったようです。

上田：$2=\sqrt{2+\sqrt{2+\sqrt{2+\cdots}}}$ か。2ってすごいな。

渡部：いやいや，2がすごいんじゃなくて，2以上の整数ならどんな数でも無限多重根号の形であらわせるんだってね。

上田：どうやるんだっけ？

Q 7を無限多重根号であらわしてみましょう。
また，29を無限多重根号であらわしてみましょう。

渡部：授業ではたしか，2以上の整数nを$n=\sqrt{a+\sqrt{a+\sqrt{a+\cdots}}}$とあらわす場合，$a$の値は$n(n-1)$で計算できるっていっていたな。

上田：よし，好きな数字を無限多重根号にしてみよう。

渡部：僕は7月7日生まれだから，7がいいな。

上田：じゃあ僕は29でやってみるよ。

$$7=\sqrt{a+\sqrt{a+\sqrt{a+\cdots}}}$$

$$29=\sqrt{a+\sqrt{a+\sqrt{a+\cdots}}}$$

好きな数を無限多重根号にできるなんて，なんだかうれしいな。

$\sqrt{\ }$ の中の数は，どんどん大きくなる

A

$$7=\sqrt{42+\sqrt{42+\sqrt{42+\cdots}}}$$

$$29=\sqrt{812+\sqrt{812+\sqrt{812+\cdots}}}$$

2以上の整数nを，$n=\sqrt{a+\sqrt{a+\sqrt{a+\cdots}}}$ のように無限多重根号であらわす場合，$a=n(n-1)$によって計算できます。この計算式にしたがって，aの値を求めてみましょう。

渡部君の好きな7を無限多重根号であらわすときのaの値は，$a=7\times(7-1)=7\times6=42$となります。また，上田君の好きな29を無限多重根号であらわすときのaの値は，$a=29\times(29-1)=29\times28=812$となります。

aの値を求める計算式が$n(n-1)$になる理由は，以下の通りです。無限多重根号であらわしたい2以上の整数nを，$n=\sqrt{a+\sqrt{a+\sqrt{a+\cdots}}}$（式①）とあらわすとします。この両辺を2乗すると，$n^2=a+\sqrt{a+\sqrt{a+\sqrt{a+\cdots}}}$（式②）となります。式②の根号の部分を式①で置きかえると，式②は$n^2=a+n$となります。この式を変形すると，$a=n^2-n=n(n-1)$となります。

上田：2の無限多重根号の中にあらわれるのが2だからといって，29の無限多重根号の中に無限に29があらわれるわけじゃないんだね。29がつづいてほしかったなぁ。

渡部：ところで，上田はどうして29にしたの？　誕生日は2月9日じゃないよね？

上田：肉が好きだからだよ！　少しおなかがすいたから，から揚げ食べて帰ろうよ。

ランベルトの子供時代

ランベルトの一族は
宗教をめぐる戦争に
巻きこまれ
フランスの
ロレーヌ地方から
ミュルーズに移住。
1728年、
ランベルト誕生

ランベルトの父親は
仕立て職人。
一家は子供7人の
大家族

ランベルトは
12歳で学校をやめ
父親の仕事を
手伝わざるをえなかった

優秀なランベルトは
仕事が終わってから
勉強をつづけた

勉強は
やめられないぞ

家計を助けるため
15歳で外に働きに出た。
その後も勉強をつづけ
新聞編集者の秘書を
しながら数学、哲学、
天文学を学んだ

20歳のときに
スイスのクールという町で
貴族の家の子供の
家庭教師の職を得た

不断の努力で一流に

家庭教師をした家には
たくさんの本があり
ランベルトの学問に
みがきがかかった

やがて科学論文を
発表するようになった

一七五六年、
学問のための旅に出発。
ドイツのゲッティンゲン
オランダのユトレヒト
など各都市を訪れた

この旅の間の一七五八年、
最初の本を出版。
内容は光についての研究。
一七六一年、
πが無理数であることを
証明

πの問題は
アリストテレス以来
約2000年、
未解決でした

$$\tan x = \cfrac{x}{1 - \cfrac{x^2}{3 - x^2 \cdots}}$$

三角関数を無限連分数で
表示することを利用して
私が証明しました

偏屈なやつじゃ
上流階級は苦手だな

プロイセンの王からは
あつかいにくい人物と
されたこともあった。
しかし後には、王からも
聡明さを認められた。
ランベルトは
数学や物理など多くの
分野で学問を深め
49歳で亡くなった

memo

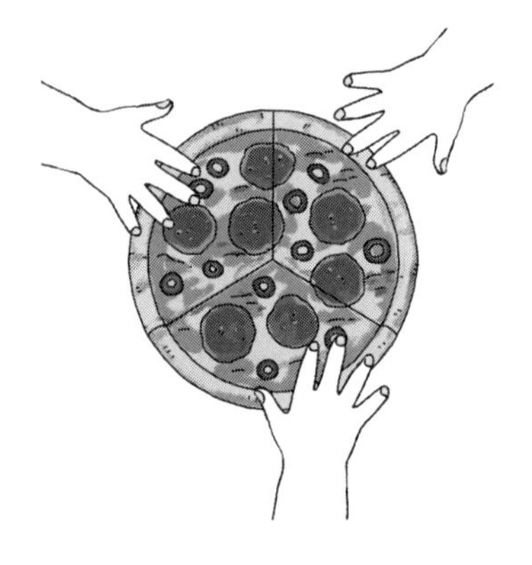

第3章

無限につづく数式

「無限に足し算をくりかえしても，答が無限大になるとは限らない」。このように聞いたら，そんなはずはないと思うのではないでしょうか。第3章では，無限につづく数式の奥深い世界を紹介します。

1 レンガを積み重ねて，横にどこまでずらせるか

レンガを少しずつ横にずらしながら積む

同じ形のレンガを，1個ずつ上に積むとしましょう。すべてのレンガは，角に丸みのない理想的な直方体で，重さにはむらがまったくないとします。**レンガを少しずつ横にずらして積むとき，最上段のレンガと最下段のレンガとの間にできる横方向のずれ幅は，どれだけ大きくできるでしょうか。**

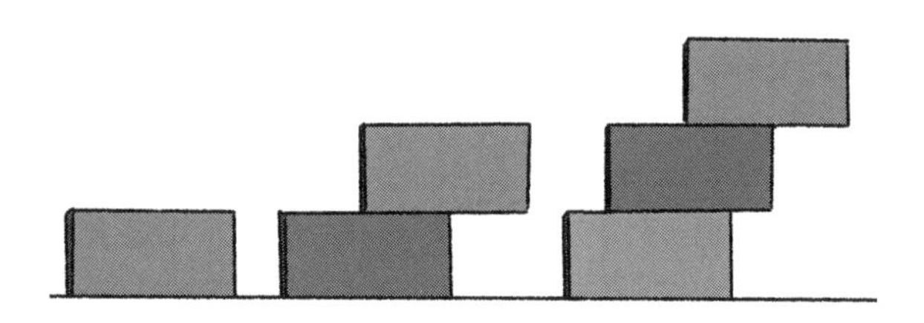

横方向のずれ幅は，無限大にできる

横方向のずれ幅を大きくすると，レンガはくずれてしまうように思えるかもしれません。しかし，ある高さにあるレンガが，その上に積まれたすべてのレンガの重心を支えるように積めば，くずれることはありません。**おどろくべきことに，無限個のレンガを積むと，横方向のずれ幅はなんと無限大(∞)にできるのです。**

こうした無限の計算を行うとき，「極限」とよばれる数学の手法を利用します。極限(あるいは極限値)とは，数式の値がある値に限りなく近づいていくときの，その値のことです。極限の役割は，このページで紹介したような思考実験に答を出すだけではありません。極限は，無限を数学的にあつかう上で，とても重要な考え方です。

1 レンガ積み

長さ2のレンガをn個積むとき，ずれ幅の合計は，最大で$\{1 + \frac{1}{2} + \frac{1}{3} + \frac{1}{4} + \cdots + \frac{1}{n-1}\}$となります。$n$が無限大にふえていくとき，ずれ幅の合計の極限は無限大になります。

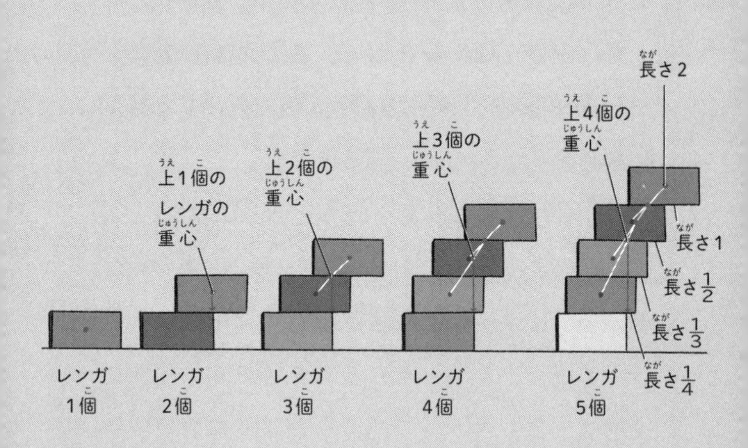

$A=1+\frac{1}{2}+\frac{1}{3}+\frac{1}{4}+\frac{1}{5}+\cdots+\frac{1}{n}$の極限が無限大になることの証明

◇$\left(\frac{1}{3}+\frac{1}{4}\right)>\left(\frac{1}{4}+\frac{1}{4}\right)=\frac{1}{2}$

◇$\left(\frac{1}{5}+\frac{1}{6}+\frac{1}{7}+\frac{1}{8}\right)>\left(\frac{1}{8}+\frac{1}{8}+\frac{1}{8}+\frac{1}{8}\right)=\frac{1}{2}$

◇$\left(\frac{1}{9}+\frac{1}{10}+\frac{1}{11}+\frac{1}{12}+\frac{1}{13}+\frac{1}{14}+\frac{1}{15}+\frac{1}{16}\right)>\left(\frac{1}{16}+\frac{1}{16}+\frac{1}{16}+\frac{1}{16}+\frac{1}{16}+\frac{1}{16}+\frac{1}{16}+\frac{1}{16}\right)$
$=\frac{1}{2}$

このようにAは，$1+\frac{1}{2}$のあと，次の2個の分数の和，次の4個の分数の和，次の8個の分数の和，次の16個の分数の和…とみていくと，それぞれは必ず$\frac{1}{2}$をこえる。

したがって，$A=1+\frac{1}{2}+\frac{1}{3}+\frac{1}{4}+\frac{1}{5}+\cdots+\frac{1}{n}>1+\frac{1}{2}+\frac{1}{2}+\frac{1}{2}+\cdots\cdots=B$

となる。

Bは明らかに無限大に発散するから，$n\to\infty$のときAも無限大に発散する。

2 無限の足し算をしても，答は無限とは限らない

成長のスピードがことなる2本の樹

A，Bという2本の樹があるとします。どちらも現在の高さは1メートルです。Aは，1年目に$\frac{1}{2}$メートル成長し，2年目に$\frac{1}{3}$メートル，3年目には$\frac{1}{4}$メートル…というスピードで成長します。一方，Bは，1年目に$\frac{1}{2}$メートル成長し，2年目に$\frac{1}{4}$メートル，3年目には$\frac{1}{8}$メートル…というスピードで成長します。

どちらも年々のびる長さが減りつつ，永遠にのびつづけていく点では同じです。**時間が無限に流れていくとき，2本の樹の成長にはどんなちがいがあらわれるでしょうか。**

2 2本の樹の運命

成長スピードがことなる樹Aと樹Bの成長をえがきました。時間が無限に流れた未来，Aの高さは無限大となります。一方，Bの高さは2メートルに限りなく近づいていきます。

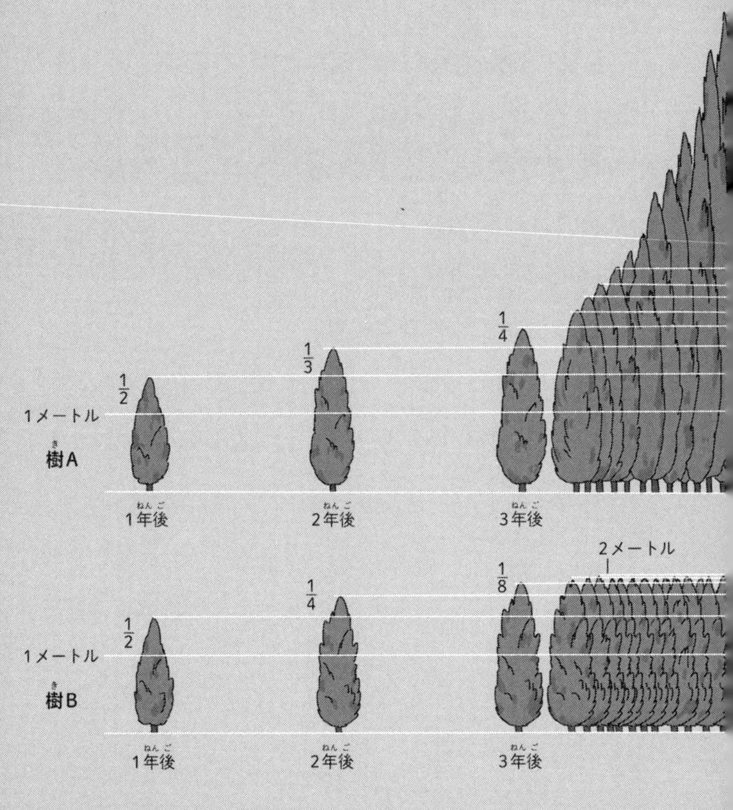

Bの高さは，永遠に2メートルをこえない

無限につづく足し算で，徐々に足される数が小さくなっていくような場合に，答を直感で想像することはむずかしいものです。

無限に遠い未来のAの高さは，

「$1+\frac{1}{2}+\frac{1}{3}+\frac{1}{4}+\frac{1}{5}+\cdots$」

の極限であり，答は無限大です。一方，無限の未来のBの高さは

「$1+\frac{1}{2}+\frac{1}{4}+\frac{1}{8}+\cdots$」

の極限であり，答は2です。

つまりBは，2メートルに限りなく近づいていきますが，決して2メートルをこえることはないのです。

3 面積で無限の足し算を考えよう

面積が1/2ずつ小さくなっていく板

前のページのBの樹の成長のようすは，図形の面積として考えることもできます。

143ページのイラストのように，面積1の正方形の板のとなりに，面積が半分（$\frac{1}{2}$）の長方形を配置します。さらにその長方形の半分の面積（$\frac{1}{4}$）の正方形を下に足して……と，はじめの正方形の面積を基準に，同様の操作を無限にくりかえします。

$1+\frac{1}{2}+\frac{1}{2^2}+\frac{1}{2^3}+\frac{1}{2^4}+\cdots$ というように，足していく値が $\frac{1}{2}$ 倍ずつ小さくなっていく場合の和について考えてみるのだ。

足す値が一定の割合で小さくなる場合は有限

イラストの右側にある板の面積の合計は，面積1の正方形に限りなく近づいていきます。つまり左右の板全体の面積は，合計で2に近づいていきます。ただし2をこえることはありません。

このように，足す値が一定の割合で小さくなっていく数式の場合，無限に足しつづけても，合計は有限の値になります。一定の割合とは，この場合は$\frac{1}{2}$です。この割合がちがう数値の場合，合計の有限の値もちがったものになります。

注：前のページのAの樹の成長は，徐々に小さくなっていくものの，一定の割合で小さくなっているわけではありません。

板を足せば足すほど，板がない部分が減っていってるメー。

3 面積が $\frac{1}{2}$ ずつ小さくなる板

イラストは，面積1の正方形の板のとなりに，面積が $\frac{1}{2}$ ずつ小さくなっていく板を，無限に並べたものです。板を，面積が大きい方から順に足し合わせていくことは，「$1+\frac{1}{2}+\frac{1}{2^2}+\frac{1}{2^3}+\frac{1}{2^4}+\cdots\cdots$」という無限の足し算を行うことと同じです。この無限の足し算の答は，2になります。

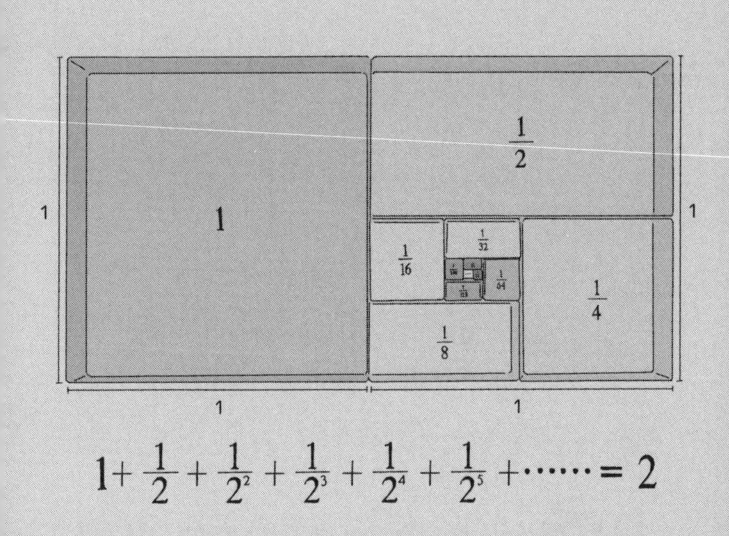

$$1+\frac{1}{2}+\frac{1}{2^2}+\frac{1}{2^3}+\frac{1}{2^4}+\frac{1}{2^5}+\cdots\cdots=2$$

∞は，数なの？

博士，「∞」って無限に大きな数をあらわしているんでしょう？　それは偶数ですか，奇数ですか？

ふむ。もし∞が，1000とか10000のような具体的な数だとしたら，おかしなことがおきるぞ。

どういうことですか？

∞を何かの数として具体的に決めた時点で，かならずそれよりも大きい数を想定できることにならんかの？

あ……。無限大ということと矛盾しますね。

うむ。∞は，無限に大きな数をあらわす記号ではなくて，際限なく大きくなるという事実をあらわす記号なんじゃ。数ではないのじゃから，偶数でも奇数でもないのじゃよ。

友達と大きな数をいい合う勝負をしたとき，無限大っていって勝ったつもりになってたけど，あれはまちがいだったんですね。

4 無限の足し算による超難問「バーゼル問題」

数式の和がいくつになるかという問題

無限につづく数式がもつ，美しさや奥深さを感じられる例を紹介しましょう。

$1+\frac{1}{2^2}+\frac{1}{3^2}+\frac{1}{4^2}+\frac{1}{5^2}+\cdots$という数式があります。この数式は，左から順番に分母が自然数（正の整数）の2乗になっています。**とても単純な規則性をもつこの数式の和がいくつになるかという問題は，「バーゼル問題」とよばれ，その値は簡単には求められませんでした。**

4 バーゼル問題

バーゼル問題の数式を，ガラスの直方体の高さであらわしました。$1+\frac{1}{2^2}+\frac{1}{3^2}+\frac{1}{4^2}+\frac{1}{5^2}+\cdots$のように数が足されていく場合，無限の彼方にある直方体の高さはどうなるでしょうか。

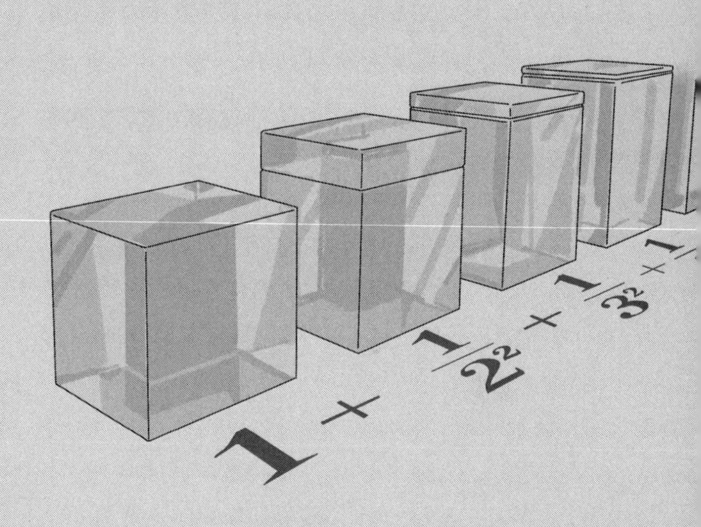

答は無限大なのか，有限の値なのか

147ページのイラストは，数式の分数を足し合わせた値を，ガラスの直方体の高さであらわしたものです。いちばん左にある直方体の高さが1，そのとなりにある直方体の高さが$1+\frac{1}{2^2}$です。**これを無限につづけていくと，無限に遠くにある直方体の高さは，無限大でしょうか。それとも，有限の値でしょうか。**

この答を知れば，この数式のもつ神秘的な美しさが感じられるはずです。答は，150ページで紹介します。

直方体の高さはふえつづけていくけれど，ふえる量は少なくなっていくのだ。

5 分数の無限の足し算で，πがあらわれる！

答が有限の値になることはわかった

$1+\frac{1}{2^2}+\frac{1}{3^2}+\frac{1}{4^2}+\frac{1}{5^2}+\cdots$という数式の和がいくつになるかという問題は，1644年に議論されはじめました。

しばらくして，計算結果が無限大ではなく，有限の値になることはわかりました。しかし，その具体的な値は簡単には求めることができませんでした。

この数式の値は，「バーゼル問題」として，後世の数学者たちへと引きつがれていきました。

オイラーが，バーゼル問題の答を示した

バーゼル問題を解決したのは，スイス生まれの天才数学者であるレオンハルト・オイラー（1707～1783）です。1735年，オイラーは，バーゼル問題の答が$\frac{\pi^2}{6}$という，円周率πを含む値となることを示しました。

円や球とはまったく関係がなさそうな無限の足し算の結果にπがあらわれたのです。ここに，数学の神秘的な美しさがあるといえるのではないでしょうか。

100年近く解けなかった問題を解くなんて，オイラーってすごいな。

5 答に π が登場する式

自然数を使った規則性をもつ分数を無限に足し合わせていくと，どういうわけか π と関係した答になるものがいくつもあります。下の数式は，その例です。

オイラー級数（バーゼル問題）

$$\frac{\pi^2}{6} = \frac{1}{1^2} + \frac{1}{2^2} + \frac{1}{3^2} + \frac{1}{4^2} + \frac{1}{5^2} + \frac{1}{6^2} + \frac{1}{7^2} + \cdots$$

分母は自然数の２乗

マーダヴァ・グレゴリー・ライプニッツ級数

±が交互に入れ替わる

$$\frac{\pi}{4} = \frac{1}{1} - \frac{1}{3} + \frac{1}{5} - \frac{1}{7} + \frac{1}{9} - \frac{1}{11} + \frac{1}{13} - \cdots$$

分母は奇数

オイラー級数

$$\frac{\pi^2}{8} = \frac{1}{1^2} + \frac{1}{3^2} + \frac{1}{5^2} + \frac{1}{7^2} + \frac{1}{9^2} + \frac{1}{11^2} + \frac{1}{13^2} + \cdots$$

分母は奇数の２乗

オイラー級数

$$\frac{\pi^4}{90} = \frac{1}{1^4} + \frac{1}{2^4} + \frac{1}{3^4} + \frac{1}{4^4} + \frac{1}{5^4} + \frac{1}{6^4} + \frac{1}{7^4} + \cdots$$

分母は自然数の４乗

∞＋1＝∞は，正しい？

博士，∞＋1＝∞って聞きました。左辺と右辺がちがうのに，なぜ「＝」なんですか？

ふむ。まず確認じゃが，∞というのは，何かの具体的な数をあらわしているわけではなく，際限なく大きくなるという事実をあらわしておる。これはわかるかの？

はい。この前，博士に教えてもらいました。

∞＋1は，際限なく大きくなるものに1を足すのじゃから，やはり際限なく大きくなる。つまり∞＋1＝∞は，左辺も右辺も，際限なく大きくなるという同じ事実をあらわしておる。じゃから，＝で結べるのじゃ。

なるほど。

同じ考え方で，$\infty - 1 = \infty$，$\infty + \infty = \infty$ という式もなりたつぞ。

うーん，数学の奥の深さは無限大ですね……。

$$\infty + 1 = \infty$$
$$\infty - 1 = \infty$$
$$\infty + \infty = \infty$$

バーゼル問題にいどんだ数学者

$1+\frac{1}{2^2}+\frac{1}{3^2}+\frac{1}{4^2}+\frac{1}{5^2}+\cdots$という数式の和がいくつになるかという問題は，1644年，イタリアの数学者のピエトロ・メンゴリ（1626～1686）によって提示されました。**しかしこの数式の値は，ながらく不明のままでした。**

スイスのヤコブ・ベルヌーイ（1654～1705）と，その弟のヨハン・ベルヌーイ（1667～1748）は，バーゼル大学の教官として活躍した数学者です。この二人も問題に挑戦したものの，解くことはできませんでした。**ただしヨハンは，バーゼル大学の学生の中から，のちの天才数学者オイラーを見いだし，熱心に数学の教育をしたといいます。**

オイラーも，師のヨハンと同じように，この問題に挑戦しました。**そして1735年，ついにオイラー**

はこの問題を解決したのです。答にたどりつくまでに100年近くかかった難問は，ベルヌーイ兄弟とオイラーが住んでいた場所にちなんで，「バーゼル問題」とよばれるようになりました。

レオンハルト・オイラー

memo

第4章

オイラーの等式

レオンハルト・オイラー（1707～1783）は，数学の歴史上，輝かしい業績をいくつも残しました。その一つが，「世界一美しい式」ともいわれるオイラーの等式の発見です。第4章では，オイラーの等式についてくわしくみていきましょう。

1 世界一美しい数式「$e^{i\pi}+1=0$」

科学者や数学者たちは，神秘的なものさえ感じる

科学者や数学者の多くが，世界一美しいと賞賛する式があります。「オイラーの等式」とよばれる，「$e^{i\pi}+1=0$」という式です。

「ネイピア数e」「虚数単位i」「円周率π」は，それぞれ生まれがことなる，本来，たがいに縁もゆかりもないと思われる数です。それにもかかわらず，eとiとπを$e^{i\pi}$という形にまとめて1を足すと，なんと0になってしまうのです。ここに，科学者や数学者たちは，神秘的なものさえ感じるといいます。

1 オイラーの二つの式

上の式は，世界一美しいと称賛されるオイラーの等式です。一方下の式は，人類の至宝と表現されるオイラーの公式です。オイラーの等式は，オイラーの公式からみちびくことができます。

オイラーの等式

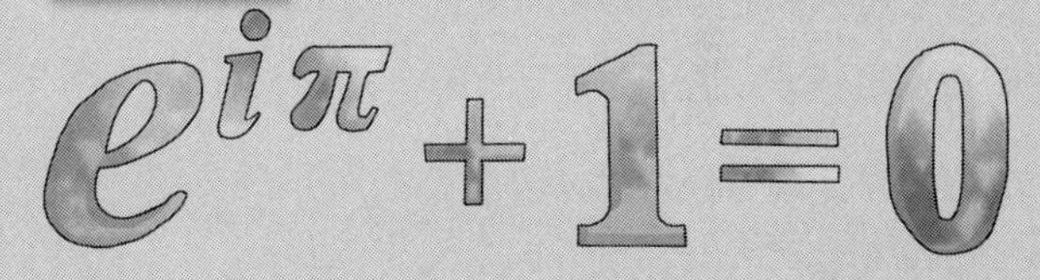

オイラーの公式

$$e^{ix}=\cos x+i\sin x$$

レオンハルト・オイラー

解析学や数論など数学の各分野のほか，物理学など，多くの分野で膨大な業績を残しました。ドイツの数学者であるカール・フリードリヒ・ガウス（1777～1855）とともに，数学界の2大巨人の1人に数えられています。

オイラーの等式をみちびきだす式

オイラーの等式は，「オイラーの公式」とよばれる「$e^{ix} = \cos x + i\sin x$」という式からみちびきだされます。オイラーの公式は，物理学のさまざまな分野で必須の式であり，自然界のしくみを解き明かすうえでなくてはならないものです。

アメリカの著名な物理学者の，リチャード・ファインマン（1918～1988）は，オイラーの公式を，「This is our jewel.」（人類の至宝）と表現したといわれています。

「$e^{i\pi} + 1 = 0$」は，「イーのアイパイじょう・プラス・いち・イコール・ゼロ」と読み，「$e^{ix} = \cos x + i\sin x$」は，「イーのアイエックスじょう・イコール・コサインエックス・プラス・アイサインエックス」と読むのだ。

2 ネイピア数eは，お金の計算から生まれた

eは，「$(1+\frac{1}{n})^n$」という式で発見された

オイラーの等式の美しさを実感するには，ネイピア数eと虚数単位iと円周率πの生まれがまったくことなることを知る必要があります。まずは，eについてみていきましょう。

eは，2.718281…と，小数点以下が循環せずに無限につづく無理数です。スイスの数学者のヤコブ・ベルヌーイ（1654～1705）が，1683年に，「$(1+\frac{1}{n})^n$」という式を使って発見したといわれています。

1年後の預金額が，2.718281…にいきつく

eは，もともと，銀行などに預けたお金（預金）の計算から生まれた数だといわれています。$(1+\frac{1}{n})^n$という式も，預金額を計算するための式なのです。最初に預ける金額を「1」とし，$\frac{1}{n}$

2 ネイピア数e

最初に預ける金額を「1」，$\frac{1}{n}$年後に預金額が$(1+\frac{1}{n})$倍になる場合，1年後の預金額は下の表のようになります。nを限りなく大きくすると，1年後の預金額はe（2.718281…）にいきつきます。

1年後の預金額の計算結果

n	利息がつくまでの時間（$\frac{1}{n}$年）	利息（$\frac{1}{n}$）	1年後の預金額$(1+\frac{1}{n})^n$
1	1年	$\frac{1}{1}$	2
2	半年	$\frac{1}{2}$	2.25
4	3か月	$\frac{1}{4}$	2.44140625
12	1か月	$\frac{1}{12}$	2.6130352902…
365	1日	$\frac{1}{365}$	2.7145674820…
8760	1時間	$\frac{1}{8760}$	2.7181266916…

年後に預金額が$(1+\frac{1}{n})$倍になる場合，1年後の預金額は$(1+\frac{1}{n})^n$になります。ここで，nを限りなく大きくすると，1年後の預金額はどうなるでしょうか。実はこれを計算すると，預金額は2.718281…にいきつくのです。この数こそ，eです。

$e = 2.718281\cdots$

注：上のイラストと，167，171ページイラストは，それぞれの数のイメージを，記号とともに図案化したものです。

3 虚数単位iは，2回かけると－1になる数

普通の数は，2乗すると必ず正の数になる

オイラーの等式に登場する数のうち，今度は虚数単位iについてみていきましょう。

普通の数（実数）は，2乗すると必ず正の数になります。たとえば－2のような負の数も，2乗すると正の数の4となります。**これに対してiは，2乗すると負の数である－1になります。**「$i=\sqrt{-1}$」とあらわすこともできます。

虚数単位の記号「i」は，オイラーが1777年に使いはじめたんだメー。前のページで登場したネイピア数の記号「e」も，オイラーが1727年に使い始めたんだメー。

3 虚数単位 i

iは，2乗すると－1になる数です。

$$i^2 = -1 \qquad i = \sqrt{-1}$$

虚数単位のiは，虚数を意味する英語の「imaginary number」の頭文字からとったものだ。

iは，最も単純な虚数

2乗すると負になる数は，実数ではないため，「虚数」とよばれます。iは，最も単純な虚数であり，虚数の単位となることから，「虚数単位」とよばれています。

2乗すると負になる数は，古代ギリシアや古代インドでは無視されていました。ところが16世紀のイタリアで，3次方程式の解を求めるために2乗すると負になる数が必要になると，虚数が認められるようになりました。

「i」は，方程式の解を求めるために生まれた数なんだね！

4 円周率πは，円の周の長さを直径で割った値

πは，円から生まれた数

オイラーの等式に登場する数のうち，最後に円周率πについてみてみましょう。

πは，3.141592…と，小数点以下が循環せずに無限につづく無理数です。**πは，円から生まれた数で，円周を円の直径で割り算した数です。** πが一定の値になるらしいことは，紀元前から知られていました。紀元前2000年ごろのバビロニア人は，πを「3」または「3と$\frac{1}{8}$(3.125)」と考えていたようです。

生まれがまったくことなる数が結びついている

eとiとπは，数学界の三大選手ともいうべき重要な存在で，数学のさまざまな場面に登場します。そしてここまでみてきたように，eとiとπは，それぞれ生まれがまったくことなる存在です。

オイラーの等式では，そのような三つの数が，$e^{i\pi}$というシンプルな形で結びついています。しかも1を足すと，0になるというのです。オイラーの等式の美しさが，実感できるのではないでしょうか。

「π」は，1706年にイギリスの数学者のウィリアム・ジョーンズ（1675～1749）が円周率の記号として使い始めたんだメー。

4 円周率 π

π は，円周を円の直径で割った数です。

$$\pi = 3.141592\cdots$$

π という文字は，ギリシア語なんだって！

天才数学者オイラー

オイラーは，スイスのバーゼルで牧師の家に生まれました。バーゼル大学に入学したのは，なんと13歳のときだったといいます。**父から習った数学に興味がある一方で，入学当初は神学を専門に学んでいました。**

オイラーは大学で，ヨハン・ベルヌーイ（1667～1748）の数学の講義を受けるうちに，その才能を見いだされました。**神学を学ぶかたわら，しばしばベルヌーイに数学の教えを請いに行きました。**途中で専門を神学から数学に変更し，19歳で大学を卒業した後は，ロシアやドイツで数学の研究をつづけました。

オイラーは，その生涯で，膨大な量の論文や著書を発表しました。**論文の数は，わかっているだ**

けでも866にのぼり，史上最も多くの科学論文を書いた人物だといわれています。次第に目を患い，65歳ぐらいのときにほぼ失明したものの，口述筆記で論文を発表しつづけました。オイラーがいなかったら，現在の数学の多くの理論が存在しないとさえいわれています。

口述筆記のために論文の内容を語るオイラー

5 波をあつかう関数が，オイラーの公式を生んだ

オイラーの公式には，三角関数が含まれる

世界一美しい式であるオイラーの等式には，親にあたる公式があります。それが，オイラーの公式とよばれる，「$e^{ix} = \cos x + i \sin x$」という式です。オイラーの公式に登場する$\sin x$と$\cos x$は，「三角関数」とよばれるものです。**三角関数のグラフは，176～177ページのイラストのような曲線をえがきます。**

「$y = \sin x$」と「$y = \cos x$」のグラフは，形が完全に一致しているが，x軸の方向に「$\frac{\pi}{2}$」だけ，グラフがずれているのだ。

自然界の波は$\sin x$と$\cos x$のグラフであらわせる

$\sin x$と$\cos x$のグラフの形は，水面にできる波や，ロープを伝わる波などに似ていると思いませんか？　実は音波や光の波，地震波なども含め，自然界の波は，基本的には$\sin x$と$\cos x$のグラフと同じ形であらわすことができます。そのため三角関数は，自然界の波を数学的にあつかう際に，必須の関数となっています。

オイラーの公式やオイラーの等式は，物理学で非常に重宝されている便利な式です。その背景には，自然界の波は三角関数を使ってあらわすことができるという事実があるのです。

5 三角関数のグラフ

オイラーの公式には，三角関数の $\sin x$ と $\cos x$ が含まれます。$y=\sin x$ のグラフ（A）と $y=\cos x$ のグラフ（B）は波の形をしており，自然界の音波や光の波などと似た形をしています。

A. $y=\sin x$ のグラフ

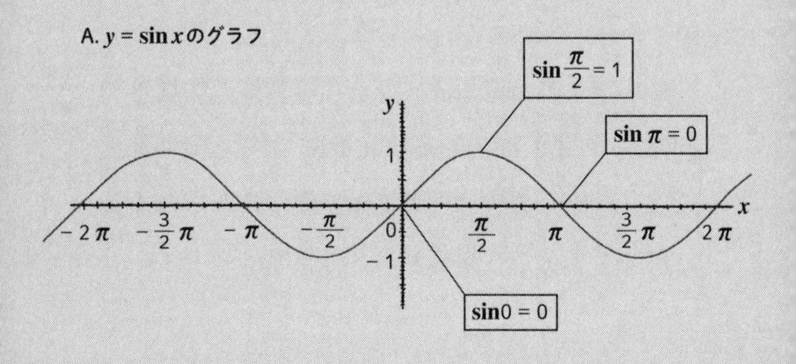

オイラーの公式

$$e^{ix} = \cos x + i\sin x$$

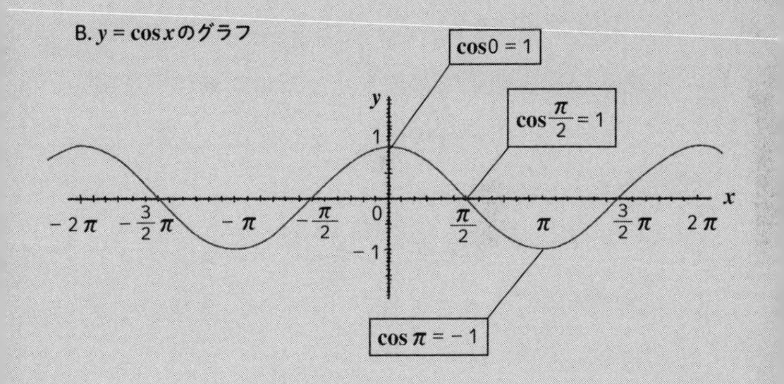

6 「テイラー展開」で，関数を無限の足し算に分解！

関数を，無限につづく式であらわす

　指数関数のe^xや，三角関数の$\sin x$，$\cos x$などの関数は，xとその累乗（xを何回かかけ算した数）と定数だけを使った，項が無限に続く多項式であらわすことができます。ただし，単なる多項式ではなく，項が無限に続く多項式のことを，より正確には冪級数とよびます。

　このように，ある関数を項の数が無限につづく多項式であらわすことを，「テイラー展開」といいます。

展開した式は，規則的な形をしている

180～181ページに，e^x，$\sin x$，$\cos x$をテイラー展開した式をそれぞれ示しました。式に登場する「!」は階乗といい，1からある数までの整数をすべてかけ算するという意味です。たとえば3!は，1×2×3となります。

e^xをテイラー展開した式は，整数を使った規則的な形をしています。$\sin x$をテイラー展開した式は，e^xをテイラー展開した式と似ています。ただしxの奇数乗の項だけでできており，それぞれの項の前につく＋と－の記号が，交互に入れかわっています。$\cos x$をテイラー展開した式は，1とxの偶数乗の項だけでできており，それぞれの項の前につく＋と－の記号が，交互に入れかわっています。

6 三つの関数のテイラー展開

e^x，$\sin x$，$\cos x$という三つの関数をテイラー展開した式を示しました。

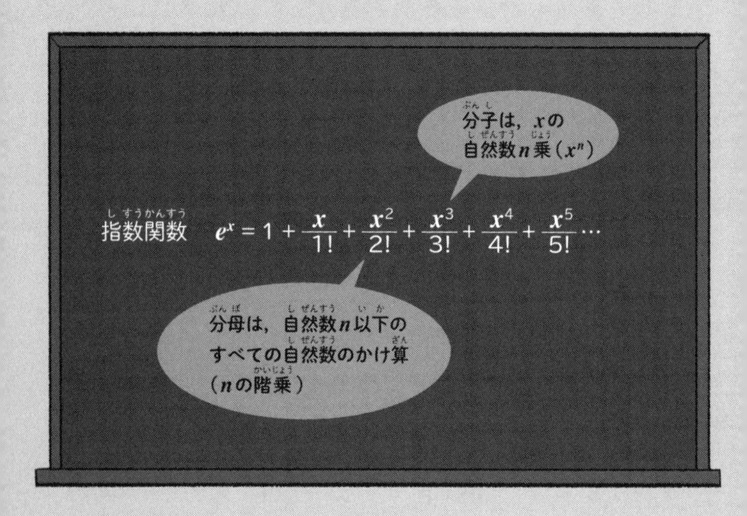

分子は，xの自然数n乗（x^n）
指数関数 $e^x = 1 + \frac{x}{1!} + \frac{x^2}{2!} + \frac{x^3}{3!} + \frac{x^4}{4!} + \frac{x^5}{5!} \cdots$
分母は，自然数n以下のすべての自然数のかけ算（nの階乗）

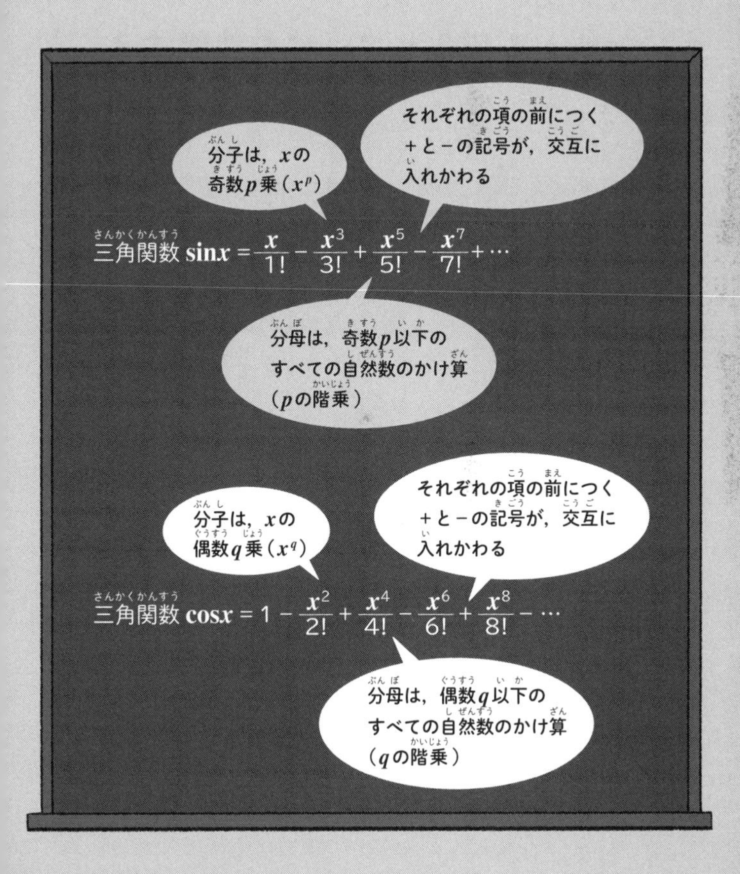
分子は，xの奇数p乗（x^p）
それぞれの項の前につく＋と－の記号が，交互に入れかわる
三角関数 $\sin x = \frac{x}{1!} - \frac{x^3}{3!} + \frac{x^5}{5!} - \frac{x^7}{7!} + \cdots$
分母は，奇数p以下のすべての自然数のかけ算（pの階乗）
分子は，xの偶数q乗（x^q）
それぞれの項の前につく＋と－の記号が，交互に入れかわる
三角関数 $\cos x = 1 - \frac{x^2}{2!} + \frac{x^4}{4!} - \frac{x^6}{6!} + \frac{x^8}{8!} - \cdots$
分母は，偶数q以下のすべての自然数のかけ算（qの階乗）

7 オイラーの公式をみちびいてみよう

$x = ix$を代入して，式を整理する

今度は，e^xをテイラー展開した式に，$x = ix$を代入して，式を整理してみましょう。

184～185ページに数式を示しました。i^2は－1，i^3は$-i$，i^4は＋1，i^5は$+i$と計算できることに注意してください。

さらにこの式を，1とxの偶数乗の項と，xの奇数乗の項に分けてみましょう。よくみると，$\cos x$をテイラー展開した式と$\sin x$をテイラー展開した式が登場しています。$\cos x$をテイラー展開した式を$\cos x$におきかえ，$\sin x$をテイラー展開した式を$\sin x$におきかえると，オイラーの公式をみちびくことができます。

指数関数と三角関数が，iで結びついている

ここで，あらためてオイラーの公式をながめてみてください。**この式は，指数関数と三角関数という，生まれもグラフの形もまったくことなるものどうしが，虚数単位iをかけ橋にして結びついているという，おどろきの事実をあらわしています。**

オイラーは，指数関数と三角関数にかくされていた関係性を，iを使うことで明らかにしたのです。

騒音を打ち消す「ノイズキャンセリングヘッドホン」には，オイラーの公式を基礎にした数学が利用されているんだって。

7 オイラーの公式をみちびく

e^xをテイラー展開した式に，$x = ix$を代入します。式を整理していくと，オイラーの公式「$e^{ix} = \cos x + i\sin x$」をみちびくことができます。

指数関数 $e^x = 1 + \frac{x}{1!} + \frac{x^2}{2!} + \frac{x^3}{3!} + \frac{x^4}{4!} + \cdots$

三角関数 $\sin x = \frac{x}{1!} - \frac{x^3}{3!} + \frac{x^5}{5!} - \frac{x^7}{7!} + \cdots$

三角関数 $\cos x = 1 - \frac{x^2}{2!} + \frac{x^4}{4!} - \frac{x^6}{6!} + \frac{x^8}{8!} - \cdots$

指数関数e^xのxに「ix（虚数倍したx）」を代入する。

$$e^{ix} = 1 + \frac{ix}{1!} + \frac{(ix)^2}{2!} + \frac{(ix)^3}{3!} + \frac{(ix)^4}{4!} + \frac{(ix)^5}{5!} + \cdots$$

$$= 1 + \frac{ix}{1!} - \frac{x^2}{2!} - \frac{ix^3}{3!} + \frac{x^4}{4!} + \frac{ix^5}{5!} - \cdots$$

$$= (1 - \frac{x^2}{2!} + \frac{x^4}{4!} - \cdots)$$

$(1 - \frac{x^2}{2!} + \frac{x^4}{4!} - \cdots)$は$\cos x$をテイラー展開した式，

$(\frac{x}{1!} - \frac{x^3}{3!} + \frac{x^5}{5!} - \cdots)$は$\sin x$をテイラー展開した式であることから，

$e^{ix} = \cos x + i \sin x$　……　**オイラーの公式**

8 オイラーの公式から，オイラーの等式へ

オイラーの公式を使えば，計算が簡単になる

三角関数は，あつかいがめんどうな関数です。たとえば，$y = \sin x$は微分すると$y = \cos x$に変わってしまいますし，$y = \cos x$は微分すると$y = -\sin x$に変わってしまいます。

一方，指数関数は，あつかいが比較的簡単です。たとえば$y = e^x$は，微分しても$y = e^x$のまま変わりません。**このため，三角関数のかわりに，オイラーの公式を使って指数関数で計算すれば，問題が簡単になる場合がたくさんあるのです。**これが，数学者や物理学者にオイラーの公式が重宝されている理由の一つです。

8 オイラーの等式をみちびく

オイラーの公式に，$x = \pi$ を代入することで，オイラーの等式「$e^{i\pi} + 1 = 0$」をみちびくことができます。

$$e^{ix} = \cos x + i \sin x$$ …… オイラーの公式

オイラーの公式に，「$x = \pi$ 」を代入

$$\begin{aligned} e^{i\pi} &= \cos\pi + i\sin\pi \\ &= -1 + i \times 0 \\ &= -1 \end{aligned}$$

したがって

$$e^{i\pi} + 1 = 0$$ …… オイラーの等式

不思議で神秘的な関係性に，美しさを感じる

最後に，オイラーの公式に，$x = \pi$ を代入してみましょう（187ページの式）。$\cos\pi = -1$，$\sin\pi = 0$ ですから，ここからオイラーの等式「$e^{i\pi} + 1 = 0$」をみちびくことができます。

オイラーは，指数関数と三角関数，そして e と i と π という，一見するとまったく関係のなさそうな関数や数の間に，かくれた関係性があることを明らかにしました。この不思議で神秘的ともいえる関係性に，科学者や数学者の多くが美しさを感じているのです。

ついにオイラーの等式にたどり着いたメー。

memo

ここにもそこにもオイラー

膨大な業績を残したオイラーの名は，さまざまな定理や方程式などに登場します。たとえば「オイラーの定理」とよばれるものだけでも，三角形の性質に関するものや，数論の分野のものなど，たくさんあります。「オイラーの方程式」も同様であり，オイラーの業績のすさまじさがわかります。

内容が比較的わかりやすいものとしては，「オイラーの多面体定理」(またはオイラーの多面体公式)があります。この定理は，立方体のような穴の空いていない多面体では，頂点と面の数を足して辺の数を引くと，必ず2になるというものです。右ページに多面体をいくつかえがいたので，ほんとうにその通りになっているか確かめてみてください。天才数学者のことが少し身近に感じられるのではないでしょうか。

オイラーの影響は，数学にとどまらず，多くの分野に広がっています。微分方程式の近似解を求める「オイラー法」は，現代ではコンピューターの数値計算に利用されています。

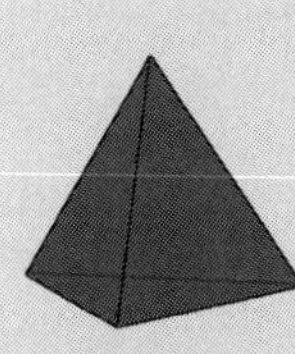

正四面体
正三角形4個で囲まれた立体

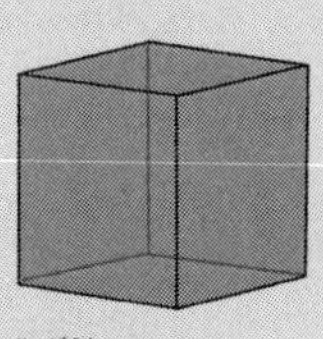

立方体
正方形6個で囲まれた立体

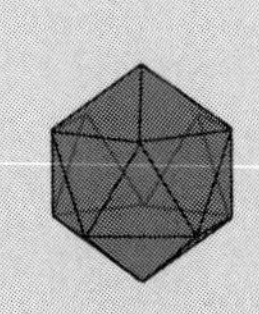

正20面体
正三角形20個で囲まれた立体

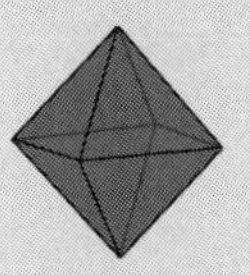

正八面体
正三角形8個で囲まれた立体

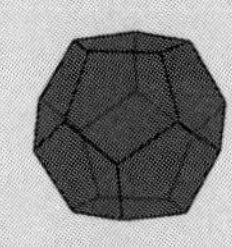

正12面体
正五角形12個で囲まれた立体

サッカーボール
正五角形12個と正六角形20個で構成される

さくいん

り

れ

memo

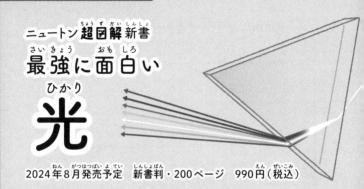

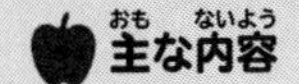

主な内容

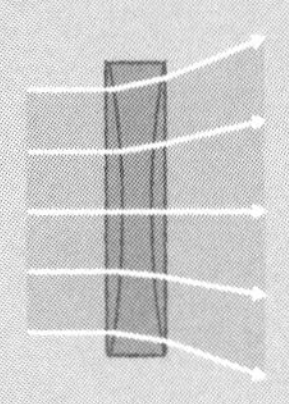

光の折れ曲がり

近視用の眼鏡は，光を広げて目に届ける

雨上がりの虹！ 空中の水滴がプリズム

光のはねかえりと，重なりあい

青空の青は，空気で飛び散った青色の光

見る角度と膜の厚さで変わる，シャボン玉の色

光の三原色と，色の三原色

3色の光が，すべての色の光をつくる！

トリの見る世界は，ヒトよりもあざやかかも

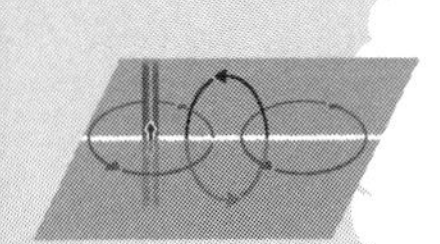

光の正体は，電気と磁気の波！

赤外線も可視光線もX線も，みんな「電磁波」！

電場と磁場の連鎖的な発生，それが電磁波！

光を放ついろいろなもの

花火の色は，燃える火薬の元素がつくる

オーロラは，大気中の原子が放つ光

Staff

Editorial Management	中村真哉
Editorial Staff	道地恵介
Cover Design	岩本陽一
Design Format	村岡志津加（Studio Zucca）

Illustration

表紙カバー	佐藤蘭名
表紙	佐藤蘭名
11～19	佐藤蘭名
21	吉原成行さんのイラストを元に佐藤蘭名が作成
22～33	佐藤蘭名
36	（フェルマー）小﨑哲太郎さんのイラストを元に佐藤蘭名が作成
38～50	佐藤蘭名
51	Newton Press
54～65	佐藤蘭名
70～71	木下真一郎さんのイラストを元に佐藤蘭名が作成
74～75	木下真一郎さんのイラストを元に佐藤蘭名が作成
76～191	佐藤蘭名

監修（敬称略）：
木村俊一（広島大学大学院先進理工系科学研究科教授）

本書は主に，Newton 別冊『数学の世界 数の神秘編』の一部記事を抜粋し，
大幅に加筆・再編集したものです。

ニュートン超図解新書
最強に面白い

数と数式編

2024年8月15日発行

発行人　松田洋太郎
編集人　中村真哉
発行所　株式会社 ニュートンプレス　〒112-0012 東京都文京区大塚3-11-6
https://www.newtonpress.co.jp/
電話 03-5940-2451

ISBN978-4-315-52833-6